SUPER VEGAN 2022

RECETAS SALUDABLES Y DELICIOSAS PARA LIMPIAR TU CUERPO

PILAR REDONDO

Tabla de contenido

Ensalada tailandesa de lechuga con cabeza de mantequilla y maní 14

Ensalada De Lechuga, Cebolleta Y Pistacho 16

Ensalada de lechuga, almendras y queso crema vegano 18

Ensalada Boston de Lechuga y Tomate d 20

Lechuga y Tomate con Vinagreta de Cilantro 21

Ensalada Mixta de Verduras y Almendras 22

Ensalada de perifollo y ricotta vegana 23

Ensalada de lechuga con nueces y parmesano vegano 24

Ensalada Vegana de Lechuga con Tomatillo y Ricotta 25

Ensalada De Tomate Kale Y Parmesano Vegano 26

Ensalada de tomatillos de espinacas y almendras 27

Ensalada De Tomate Kale Y Almendras 29

Ensalada mixta de almendras verdes y ricotta vegana 31

Ensalada de endivias con tomate y almendras 32

Ensalada de Kale Tomatillo y Almendras 34

Ensalada De Escarola De Almendras Y Tomate 35

Ensalada de endivias con tomatillo y almendras 37

Ensalada Bib Lettuce Almond and Cherry Tomato 38

Ensalada de tomatillos de espinaca y parmesano vegano 40

Ensalada De Tomate Kale Y Queso Parmesano Vegano 41

Ensalada De Tomatillo De Verduras Mixtas Y Queso Ricotta Vegano 43
Ensalada de escarola de almendras y queso ricotta vegano 45
Ensalada de endivias con tomate y almendras 46
Ensalada de espinacas, calabacín y almendras 48
Ensalada De Ricotta De Tofu Y Tomate De Pepino Kale 49
Ensalada de ricotta de tofu y almendras verdes mixtas 51
Ensalada De Tomate Kale Y Queso Parmesano Vegano 53
Ensalada de tomate perifollo y queso parmesano vegano 55
Ensalada Bib Lettuce Tomatillo and Tofu Ricotta Cheese 57
Ensalada de tomates y almendras con espinacas 60
Ensalada de Tomatillo de Repollo Napa y Queso Parmesano Vegano 62
Ensalada de achicoria, tomatillo y almendras 63
Ensalada De Tomate Kale Y Queso Tofu Ricotta 64
Ensalada de tomates de repollo de Napa y queso ricotta de tofu .. 65
Ensalada de tomatillos de remolacha tierna y queso vegano 66
Ensalada de lechuga romana súper simple 67
Ensalada Fácil De Lechuga 68
Ensalada Easy Boston 69
Ensalada fácil de verduras mixtas 70
Ensalada De Lechuga 71
Ensalada de lechuga Boston con glaseado balsámico 72
Ensalada Simple De Escarola 73

Ensalada de verduras mixtas 74
Ensalada de lechuga y maní de Boston 75
Lechuga Boston con Glaseado Balsámico 76
Lechuga Babero con Vinagreta de Nueces 77
Lechuga Romana con Vinagreta de Avellanas 78
Ensalada de verduras mixtas con vinagreta de almendras 79
Ensalada de Escarola con Maní y Vinagreta Balsámica 80
Lechuga Babero con Vinagreta de Anacardos 81
Ensalada de lechuga romana con vinagreta de nueces 82
Ensalada de verduras mixtas con vinagreta de almendras 83
Ensalada de lechuga romana con vinagreta de anacardos 85
Ensalada de Escarola con Vinagreta de Avellanas 86
Ensalada de lechuga con vinagreta de maní 87
Ensalada De Lechuga Grilles Boston 88
Ensalada de lechuga romana a la parrilla 89
Ensalada de lechuga romana a la parrilla y vinagreta de anacardos 90
Ensalada de lechuga romana a la parrilla y vinagreta de almendras 91
Repollo de Napa a la parrilla con vinagreta de anacardos 92
Ensalada de lechuga Boston a la parrilla y vinagreta de anacardos 93
Ensalada De Lechuga Romana A La Parrilla Y Aceitunas Verdes ... 94
Ensalada De Lechuga A La Parrilla Y Aceitunas Verdes 95
Ensalada De Lechuga Romana A La Parrilla Y Alcaparras Verdes . 96

Ensalada de lechuga romana y alcaparras a la parrilla 97
Ensalada de aceitunas negras y Boston a la parrilla 98
Ensalada De Lechuga Romana A La Parrilla Y Aceitunas Kalamata 99
Lechuga Romana con Aceitunas Verdes y Vinagreta de Maní 100
Alcaparras de lechuga romana y vinagreta de almendras 101
Lechuga Boston con Corazones de Alcachofa y Vinagreta de Anacardos 102
Alcachofas y Corazones de Alcachofa con Glaseado Balsámico 103
Alcachofa y Aceitunas Verdes con Vinagreta de Nueces 104
Lechuga Romana con Aceitunas Negras y Corazones de Alcachofa 105
Corazones de Alcachofa con Ensalada de Aceitunas Negras 106
Ensalada de corazón de alcachofa y aceitunas negras con lechuga Boston 107
Ensalada de Lechuga Romana con Corazón de Alcachofa y Vinagreta de Macadamia 109
Ensalada Bib Lettuce Black Olives and Alcachofa Corazón 110
Lechuga Boston con vinagreta de sidra de manzana 111
Ensalada de lechuga romana con corazón de alcachofa y vinagreta de anacardos 112
Ensalada de corazón de alcachofa y lechuga romana y aceitunas verdes 113
Ensalada Bib Lettuce Kalamata Olives and Alcachofa Corazón 114
Ensalada de lechuga romana, maíz baby y corazón de alcachofa 115

Ensalada de zanahorias tiernas con lechuga Boston y corazón de alcachofa 116
Ensalada de lechuga romana, aceitunas negras y maíz baby 117
Alcaparras de alcachofa y ensalada de corazón de alcachofa 118
Ensalada de corazón de alcachofas y maíz baby de hojas verdes mixtas 119
Lechuga Romana con Aderezo de Tomatillo 120
Ensalada griega de lechuga romana y tomate 122
Ensalada De Tomate Ciruela Y Pepino 124
Ensalada de champiñones y pepino Enoki 125
Ensalada de tomate y calabacín 126
Tomatillos con Ensalada de Pepino 127
Ensalada De Tomate Ciruela Y Cebolla 128
Ensalada de calabacín y tomate 129
Ensalada De Tomate Heirloom 130
Ensalada De Hongos Enoki 131
Ensalada de corazón de alcachofa y tomate ciruela 132
Ensalada de maizitos y tomate ciruela 133
Ensalada Mixta de Verduras y Tomate 134
Ensalada de lechuga romana y tomate ciruela 135
Ensalada de Endivias y Hongos Enoki 137
Ensalada de Alcachofas y Tomate 138
Ensalada De Col Rizada Y Tomate Heirloom 139
Ensalada de espinacas y tomatillo 140

Ensalada De Setas Mesclun Y Enoki 141
Ensalada de lechuga romana y pepino 142
Ensalada de col rizada, espinaca y calabacín 143
Ensalada de alcachofa, col rizada y champiñones Enoki 144
Ensalada de Escarola y Alcachofa 145
Ensalada de Escarola y Calabacín 147
Ensalada de lechuga romana y mesclun 148
Ensalada Mixta de Verde y Tomatillo 149
Ensalada de lechuga romana y endivias 150
Ensalada De Alcachofas Y Col Rizada 151
Ensalada de col rizada y espinacas 152
Ensalada De Zanahorias Y Tomate Ciruela 153
Ensalada De Maíz Y Tomate Ciruela 154
Ensalada mixta de zanahorias verdes y baby 155
Ensalada de lechuga romana y maíz baby 156
Ensalada de maíz baby y endivias 157
Ensalada de Coliflor y Tomatillo 159
Ensalada de brócoli y tomatillo 160
Ensalada de espinacas y coliflor 161
Ensalada de col rizada y brócoli 162
Ensalada de col rizada, espinacas y brócoli 163
Ensalada de alcachofa, col rizada y brócoli 164
Ensalada de maíz baby y endivias 165
Ensalada mixta de zanahorias verdes y baby 166

Ensalada de tomatillo y maíz baby........167
Ensalada de Enoki y Maíz Baby........169
Ensalada Heirloom de tomate, endivias y alcachofas........170
Ensalada De Tomates Ciruela Kale Y Cebolla........171
Ensalada De Espinacas, Ciruelas Y Cebolla........172
Ensalada de berros y calabacín........173
Ensalada De Mangos, Tomates Y Pepino........174
Ensalada De Duraznos, Tomates Y Cebolla........175
Tomatillo de Uvas Negras y Cebolla Blanca........176
Ensalada de uvas rojas, tomatillo y calabacín........177
Ensalada de tomate ciruela y col lombarda........178
Ensalada de pepino y tomates de ciruela y repollo de Napa........179
Ensalada de repollo rojo y napa........180
Ensalada de uvas negras y rojas........181
Ensalada De Mangos, Duraznos Y Pepino........182
Ensalada De Setas Enoki De Berros Y Calabacín........183
Ensalada de col rizada, espinaca y pepino........185
Ensalada De Kale, Tomate Y Calabacín........186
Ensalada de espinacas, ciruela, tomate y pepino........187
Ensalada de berros con tomatillo y pepino........188
Ensalada de tomates reliquia de mangos y pepino........189
Ensalada De Duraznos Y Tomate........190
Ensalada de Uvas Negras y Tomate Ciruela........191
Ensalada de uvas rojas y calabacín........192

Ensalada de Col lombarda y Tomatillo 193
Ensalada de pepino y champiñones Enoki de repollo de Napa 194
Ensalada De Piña, Tomate Y Pepino 195
Ensalada de Manzanas, Tomates Ciruela y Pepino 196
Ensalada De Cerezas, Tomates Y Cebolla 197
Ensalada De Pepinillos Y Tomate 198
Ensalada de Tomatillo y Maíz 199
Ensalada De Alcachofas De Repollo Morado Y Pepino 201
Ensalada de repollo morado y alcachofa 202
Ensalada De Encurtidos, Uvas Y Maíz 203
Ensalada de duraznos, cerezas y uva negra 204
Ensalada De Mangos De Piña Y Manzana 205
Ensalada de col rizada, espinacas y berros 206
Ensalada De Berros, Piña Y Mangos 207
Ensalada de tomates, manzanas y duraznos 208
Ensalada De Hongos Enoki, Maíz Y Col Roja 209
Ensalada de tomatillos y manzana 210
Ensalada De Tomates Encurtidos Y Uva 212
Ensalada De Alcachofa De Repollo Y Pepino 213
Ensalada de piña, mango, manzana y pepino 214
Ensalada de repollo y pepino con alcachofas 215
Ensalada de tomates, repollo y zanahoria 216
Ensalada de zanahorias y pepino con col de Napa 217
Ensalada Tomatillos de Espinacas y Berros 218

Ensalada de col rizada, piña y pepino..219

Ensalada tailandesa de lechuga con cabeza de mantequilla y maní

Ingredientes:

8 onzas de queso vegano

6 a 7 tazas de lechuga con cabeza de mantequilla, 3 manojos, recortados

1/4 de pepino, cortado por la mitad a lo largo y luego en rodajas finas

3 cucharadas de cebollino cortado en tiras

16 tomates cherry

1/2 taza de maní

1/4 de cebolla blanca en rodajas

Sal y pimienta para probar

Vendaje

1 chalota pequeña, picada

2 cucharadas de vinagre blanco destilado

1/4 taza de aceite de ajonjolí

1 cucharada. Salsa de ajo y chile tailandés

Deberes

Combine todos los ingredientes del aderezo en un procesador de alimentos.

Mezcle con el resto de los ingredientes y combine bien.

Ensalada De Lechuga, Cebolleta Y Pistacho

Ingredientes:

7 tazas de lechuga de hojas sueltas, 3 manojos, recortados

1/4 de pepino europeo o sin semillas, cortado por la mitad a lo largo y luego en rodajas finas

3 cucharadas de cebollino picado o cortado en tiras

16 uvas

1/2 taza de pistachos

1/4 de cebolla, en rodajas

Sal y pimienta para probar

6 onzas de queso vegano

Vendaje

1 ramita de perejil picado

1 cucharada de vinagre blanco destilado

1/4 de limón, en jugo, aproximadamente 2 cucharaditas

1/4 taza de aceite de oliva extra virgen

Deberes

Combine todos los ingredientes del aderezo en un procesador de alimentos.

Mezcle con el resto de los ingredientes y combine bien.

Ensalada de lechuga, almendras y queso crema vegano

Ingredientes:

7 tazas de lechuga frisee, 3 manojos, recortados

½ pepino, cortado por la mitad a lo largo, luego en rodajas finas

3 cucharadas de cebollino picado o cortado en tiras

16 tomates cherry

1/2 taza de almendras en rodajas

1/4 de cebolla morada, en rodajas

Sal y pimienta para probar

7 onzas de queso crema vegano

Vendaje

1 chalota pequeña, picada

1 cucharada de vinagre blanco destilado

1/4 de limón, en jugo, aproximadamente 2 cucharaditas

1/4 taza de aceite de oliva extra virgen

1 cucharada. salsa chimichurri

Deberes

Combine todos los ingredientes del aderezo en un procesador de alimentos.

Mezcle con el resto de los ingredientes y combine bien.

Ensalada Boston de Lechuga y Tomate d

Ingredientes:

6 a 7 tazas de lechuga Boston, 3 manojos, recortados

1/4 de pepino, cortado por la mitad a lo largo y luego en rodajas finas

3 cucharadas de cebollino picado o cortado en tiras

16 tomates cherry

1/2 taza de almendras en rodajas

1/4 de cebolla morada, en rodajas

Sal y pimienta para probar

5 onzas de queso vegano

Vendaje

1 ramita de perejil picado

1 cucharada de vinagre blanco destilado

1/4 de limón, en jugo, aproximadamente 2 cucharaditas

1/4 taza de aceite de oliva extra virgen

Deberes

Combine todos los ingredientes del aderezo en un procesador de alimentos.

Mezcle con el resto de los ingredientes y combine bien.

Lechuga y Tomate con Vinagreta de Cilantro

Ingredientes:

6 a 7 tazas de lechuga iceberg, 3 manojos, recortados

1/4 de pepino, cortado por la mitad a lo largo y luego en rodajas finas

3 cucharadas de cebollino picado o cortado en tiras

16 tomates cherry

1/2 taza de almendras en rodajas

1/4 de cebolla blanca en rodajas

Sal y pimienta para probar

8 onzas de queso vegano

Vendaje

1 ramita de cilantro, picado

1 cucharada de vinagre blanco destilado

1/4 de limón, en jugo, aproximadamente 2 cucharaditas

1/4 taza de aceite de oliva extra virgen

Deberes

Combine todos los ingredientes del aderezo en un procesador de alimentos.

Mezcle con el resto de los ingredientes y combine bien.

Ensalada Mixta de Verduras y Almendras

Ingredientes:

7 tazas de mezclum, 3 paquetes, recortado

1/4 de pepino, cortado por la mitad a lo largo y luego en rodajas finas

3 cucharadas de cebollino picado o cortado en tiras

16 tomates cherry

1/2 taza de almendras en rodajas

1/4 de cebolla blanca en rodajas

Sal y pimienta para probar

8 onzas de queso vegano

Vendaje

1 cucharada de vinagre blanco destilado

1/4 de limón, en jugo, aproximadamente 2 cucharaditas

1/4 taza de aceite de oliva extra virgen

1 cucharadita Mostaza inglesa

Deberes

Combine todos los ingredientes del aderezo en un procesador de alimentos.

Mezcle con el resto de los ingredientes y combine bien.

Ensalada de perifollo y ricotta vegana

Ingredientes:

6 a 7 tazas de perifollo, 3 paquetes, recortado

1/4 de pepino, cortado por la mitad a lo largo y luego en rodajas finas

16 uvas

1/2 taza de almendras en rodajas

1/4 de cebolla blanca en rodajas

Sal y pimienta para probar

8 onzas de queso tofu ricotta (tofitti)

Vendaje

1 cucharada de vinagre blanco destilado

1/4 de limón, en jugo, aproximadamente 2 cucharaditas

1/4 taza de aceite de oliva extra virgen

1 cucharada. Salsa chimichurri

Deberes

Combine todos los ingredientes del aderezo en un procesador de alimentos.

Mezcle con el resto de los ingredientes y combine bien.

Ensalada de lechuga con nueces y parmesano vegano

Ingredientes:

6 a 7 tazas de lechuga babero, 3 manojos, recortados

1/4 de pepino, cortado por la mitad a lo largo y luego en rodajas finas

3 cucharadas de cebollino picado o cortado en tiras

16 tomatillos, cortados por la mitad

1/2 taza de nueces

1/4 de cebolla morada, en rodajas

Sal y pimienta para probar

Queso parmesano vegano (comida de ángel)

Vendaje

1 cucharada de vinagre blanco destilado

1/4 de limón, en jugo, aproximadamente 2 cucharaditas

1/4 taza de aceite de oliva extra virgen

1 cucharadita mayonesa sin huevo

Deberes

Combine todos los ingredientes del aderezo en un procesador de alimentos.

Mezcle con el resto de los ingredientes y combine bien.

Ensalada Vegana de Lechuga con Tomatillo y Ricotta

Ingredientes:

6 a 7 tazas de lechuga de endivias, 3 manojos, recortados

1/4 de pepino, cortado por la mitad a lo largo y luego en rodajas finas

3 cucharadas de cebollino picado o cortado en tiras

16 tomatillos verdes, cortados por la mitad

1/2 taza de almendras en rodajas

1/4 de cebolla blanca en rodajas

Sal y pimienta para probar

8 onzas de queso tofu ricotta (tofitti)

Vendaje

1 cucharada de vinagre blanco destilado

1/4 de limón, en jugo, aproximadamente 2 cucharaditas

1/4 taza de aceite de oliva extra virgen

1 cucharadita mostaza de Dijon

Deberes

Combine todos los ingredientes del aderezo en un procesador de alimentos.

Mezcle con el resto de los ingredientes y combine bien.

Ensalada De Tomate Kale Y Parmesano Vegano

Ingredientes:

6 a 7 tazas de lechuga kale, 3 manojos, recortados

1/4 de pepino, cortado por la mitad a lo largo y luego en rodajas finas

3 cucharadas de cebollino picado o cortado en tiras

16 tomates cherry

1/2 taza de almendras en rodajas

1/4 de cebolla blanca en rodajas

Sal y pimienta para probar

Queso parmesano vegano (comida de ángel)

Vendaje

1 ramita de cilantro, picado

1 cucharada de vinagre blanco destilado

1/4 de limón, en jugo, aproximadamente 2 cucharaditas

1/4 taza de aceite de oliva extra virgen

1 cucharadita mayonesa sin huevo

Deberes

Combine todos los ingredientes del aderezo en un procesador de alimentos.

Mezcle con el resto de los ingredientes y combine bien.

Ensalada de tomatillos de espinacas y almendras

Ingredientes:

6 a 7 tazas de lechuga espinaca, 3 manojos, recortados

1/4 de pepino, cortado por la mitad a lo largo y luego en rodajas finas

3 cucharadas de cebollino picado o cortado en tiras

16 tomatillos, cortados por la mitad

1/2 taza de almendras en rodajas

1/4 de cebolla blanca en rodajas

Sal y pimienta para probar

8 onzas de queso vegano

Vendaje

1 ramita de cilantro, picado

1 cucharada de vinagre blanco destilado

1/4 de limón, en jugo, aproximadamente 2 cucharaditas

1/4 taza de aceite de oliva extra virgen

1 cucharadita Mostaza inglesa

Deberes

Combine todos los ingredientes del aderezo en un procesador de alimentos.

Mezcle con el resto de los ingredientes y combine bien.

Ensalada De Tomate Kale Y Almendras

Ingredientes:

6 a 7 tazas de col rizada, 3 paquetes, recortados

1/4 de pepino, cortado por la mitad a lo largo y luego en rodajas finas

3 cucharadas de cebollino picado o cortado en tiras

16 tomates cherry

1/2 taza de almendras en rodajas

1/4 de cebolla blanca en rodajas

Sal y pimienta para probar

8 onzas de queso vegano

Vendaje

1 ramita de cilantro, picado

1 cucharada de vinagre blanco destilado

1/4 de limón, en jugo, aproximadamente 2 cucharaditas

1/4 taza de aceite de oliva extra virgen

1 cucharadita Mostaza inglesa

Deberes

Combine todos los ingredientes del aderezo en un procesador de alimentos.

Mezcle con el resto de los ingredientes y combine bien.

Ensalada mixta de almendras verdes y ricotta vegana

Ingredientes:

6 a 7 tazas de mezclum, 3 paquetes, recortado

1/4 de pepino, cortado por la mitad a lo largo y luego en rodajas finas

3 cucharadas de cebollino picado o cortado en tiras

16 tomatillos verdes, cortados por la mitad

1/2 taza de almendras en rodajas

1/4 de cebolla blanca en rodajas

Sal y pimienta para probar

8 onzas de queso tofu ricotta (tofitti)

Vendaje

1 cucharada de vinagre blanco destilado

1/4 de limón, en jugo, aproximadamente 2 cucharaditas

1/4 taza de aceite de oliva extra virgen

1 cucharadita mostaza de Dijon

Deberes

Combine todos los ingredientes del aderezo en un procesador de alimentos.

Mezcle con el resto de los ingredientes y combine bien.

Ensalada de endivias con tomate y almendras

Ingredientes:

6 a 7 tazas de endivias, 3 manojos, recortados

1/4 de pepino, cortado por la mitad a lo largo y luego en rodajas finas

3 cucharadas de cebollino picado o cortado en tiras

16 tomates cherry

1/2 taza de almendras en rodajas

1/4 de cebolla blanca en rodajas

Sal y pimienta para probar

Queso parmesano vegano (comida de ángel)

Vendaje

1 ramita de cilantro, picado

1 cucharada de vinagre blanco destilado

1/4 de limón, en jugo, aproximadamente 2 cucharaditas

1/4 taza de aceite de oliva extra virgen

1 cucharadita Mostaza inglesa

Deberes

Combine todos los ingredientes del aderezo en un procesador de alimentos.

Mezcle con el resto de los ingredientes y combine bien.

Ensalada de Kale Tomatillo y Almendras

Ingredientes:

6 a 7 tazas de col rizada, 3 paquetes, recortados

1/4 de pepino, cortado por la mitad a lo largo y luego en rodajas finas

3 cucharadas de cebollino picado o cortado en tiras

16 tomatillos, cortados por la mitad

1/2 taza de almendras en rodajas

1/4 de cebolla blanca en rodajas

Sal y pimienta para probar

8 onzas de queso tofu ricotta (tofitti)

Vendaje

1 cucharada de vinagre blanco destilado

1/4 de limón, en jugo, aproximadamente 2 cucharaditas

1/4 taza de aceite de oliva extra virgen

1 cucharadita mayonesa sin huevo

Deberes

Combine todos los ingredientes del aderezo en un procesador de alimentos.

Mezcle con el resto de los ingredientes y combine bien.

Ensalada De Escarola De Almendras Y Tomate

Ingredientes:

6 a 7 tazas de escarola, 3 manojos, recortados

1/4 de pepino, cortado por la mitad a lo largo y luego en rodajas finas

3 cucharadas de cebollino picado o cortado en tiras

16 tomates cherry

1/2 taza de almendras en rodajas

1/4 de cebolla blanca en rodajas

Sal y pimienta para probar

8 onzas de queso vegano

Vendaje

1 ramita de cilantro, picado

1 cucharada de vinagre blanco destilado

1/4 de limón, en jugo, aproximadamente 2 cucharaditas

1/4 taza de aceite de oliva extra virgen

1 cucharadita Mostaza inglesa

Deberes

Combine todos los ingredientes del aderezo en un procesador de alimentos.

Mezcle con el resto de los ingredientes y combine bien.

Ensalada de endivias con tomatillo y almendras

Ingredientes:

6 a 7 tazas de endivias, 3 manojos, recortados

1/4 de pepino, cortado por la mitad a lo largo y luego en rodajas finas

3 cucharadas de cebollino picado o cortado en tiras

16 tomatillos, cortados por la mitad

1/2 taza de almendras en rodajas

1/4 de cebolla blanca en rodajas

Sal y pimienta para probar

Queso parmesano vegano (comida de ángel)

Vendaje

1 cucharada de vinagre blanco destilado

1/4 de limón, en jugo, aproximadamente 2 cucharaditas

1/4 taza de aceite de oliva extra virgen

1 cucharadita mostaza de Dijon

Deberes

Combine todos los ingredientes del aderezo en un procesador de alimentos.

Mezcle con el resto de los ingredientes y combine bien.

Ensalada Bib Lettuce Almond and Cherry Tomato

Ingredientes:

6 a 7 tazas de lechuga babero, 3 manojos, recortados

1/4 de pepino, cortado por la mitad a lo largo y luego en rodajas finas

3 cucharadas de cebollino picado o cortado en tiras

16 tomates cherry

1/2 taza de almendras en rodajas

1/4 de cebolla blanca en rodajas

Sal y pimienta para probar

8 onzas de queso tofu ricotta (tofitti)

Vendaje

1 ramita de cilantro, picado

1 cucharada de vinagre blanco destilado

1/4 de limón, en jugo, aproximadamente 2 cucharaditas

1/4 taza de aceite de oliva extra virgen

1 cucharadita Mostaza inglesa

Deberes

Combine todos los ingredientes del aderezo en un procesador de alimentos.

Mezcle con el resto de los ingredientes y combine bien.

Ensalada de tomatillos de espinaca y parmesano vegano

Ingredientes:

6 a 7 tazas de lechuga espinaca, 3 manojos, recortados

1/4 de pepino, cortado por la mitad a lo largo y luego en rodajas finas

3 cucharadas de cebollino picado o cortado en tiras

16 tomatillos, cortados por la mitad

1/2 taza de almendras en rodajas

1/4 de cebolla blanca en rodajas

Sal y pimienta para probar

Queso parmesano vegano (comida de ángel)

Vendaje

1 ramita de cilantro, picado

1 cucharada de vinagre blanco destilado

1/4 de limón, en jugo, aproximadamente 2 cucharaditas

1/4 taza de aceite de oliva extra virgen

1 cucharadita mayonesa sin huevo

Deberes

Combine todos los ingredientes del aderezo en un procesador de alimentos.

Mezcle con el resto de los ingredientes y combine bien.

Ensalada De Tomate Kale Y Queso Parmesano Vegano

Ingredientes:

6 a 7 tazas de lechuga kale, 3 manojos, recortados

1/4 de pepino, cortado por la mitad a lo largo y luego en rodajas finas

3 cucharadas de cebollino picado o cortado en tiras

16 tomates cherry

1/2 taza de almendras en rodajas

1/4 de cebolla blanca en rodajas

Sal y pimienta para probar

Queso parmesano vegano (comida de ángel)

Vendaje

1 ramita de cilantro, picado

1 cucharada de vinagre blanco destilado

1/4 de limón, en jugo, aproximadamente 2 cucharaditas

1/4 taza de aceite de oliva extra virgen

1 cucharadita Mostaza inglesa

Deberes

Combine todos los ingredientes del aderezo en un procesador de alimentos.

Mezcle con el resto de los ingredientes y combine bien.

Ensalada De Tomatillo De Verduras Mixtas Y Queso Ricotta Vegano

Ingredientes:

6 a 7 tazas de mezclum, 3 paquetes, recortado

1/4 de pepino, cortado por la mitad a lo largo y luego en rodajas finas

3 cucharadas de cebollino picado o cortado en tiras

16 tomatillos verdes, cortados por la mitad

1/2 taza de almendras en rodajas

1/4 de cebolla blanca en rodajas

Sal y pimienta para probar

8 onzas de queso tofu ricotta (tofitti)

Vendaje

1 ramita de cilantro, picado

1 cucharada de vinagre blanco destilado

1/4 de limón, en jugo, aproximadamente 2 cucharaditas

1/4 taza de aceite de oliva extra virgen

Deberes

Combine todos los ingredientes del aderezo en un procesador de alimentos.

Mezcle con el resto de los ingredientes y combine bien.

Ensalada de escarola de almendras y queso ricotta vegano

Ingredientes:

6 a 7 tazas de escarola, 3 manojos, recortados

1/4 de pepino, cortado por la mitad a lo largo y luego en rodajas finas

3 cucharadas de cebollino picado o cortado en tiras

16 tomatillos, cortados por la mitad

1/2 taza de almendras en rodajas

1/4 de cebolla blanca en rodajas

Sal y pimienta para probar

8 onzas de queso tofu ricotta (tofitti)

Vendaje

1 cucharada de vinagre blanco destilado

1/4 de limón, en jugo, aproximadamente 2 cucharaditas

1/4 taza de aceite de oliva extra virgen

1 cucharadita mostaza de Dijon

Deberes

Combine todos los ingredientes del aderezo en un procesador de alimentos.

Mezcle con el resto de los ingredientes y combine bien.

Ensalada de endivias con tomate y almendras

Ingredientes:

6 a 7 tazas de endivias, 3 manojos, recortados

1/4 de pepino, cortado por la mitad a lo largo y luego en rodajas finas

3 cucharadas de cebollino picado o cortado en tiras

16 tomates cherry

1/2 taza de almendras en rodajas

1/4 de cebolla blanca en rodajas

Sal y pimienta para probar

8 onzas de queso vegano

Vendaje

1 ramita de cilantro, picado

1 cucharada de vinagre blanco destilado

1/4 de limón, en jugo, aproximadamente 2 cucharaditas

1/4 taza de aceite de oliva extra virgen

1 cucharadita mayonesa sin huevo

Deberes

Combine todos los ingredientes del aderezo en un procesador de alimentos.

Mezcle con el resto de los ingredientes y combine bien.

Ensalada de espinacas, calabacín y almendras

Ingredientes:

6 a 7 tazas de espinacas, 3 manojos, recortados

¼ de calabacín, cortado por la mitad a lo largo y luego en rodajas finas

3 cucharadas de cebollino picado o cortado en tiras

16 tomates cherry

1/2 taza de almendras en rodajas

1/4 de cebolla blanca en rodajas

Sal y pimienta para probar

8 onzas de queso vegano

Vendaje

1 cucharada de vinagre blanco destilado

1/4 de limón, en jugo, aproximadamente 2 cucharaditas

1/4 taza de aceite de oliva extra virgen

1 cucharadita salsa de pesto

Deberes

Combine todos los ingredientes del aderezo en un procesador de alimentos.

Mezcle con el resto de los ingredientes y combine bien.

Ensalada De Ricotta De Tofu Y Tomate De Pepino Kale

Ingredientes:

6 a 7 tazas de col rizada, 3 paquetes, recortados

1/4 de pepino, cortado por la mitad a lo largo y luego en rodajas finas

3 cucharadas de cebollino picado o cortado en tiras

16 tomatillos verdes, cortados por la mitad

1/2 taza de almendras en rodajas

1/4 de cebolla blanca en rodajas

Sal y pimienta para probar

8 onzas de queso tofu ricotta (tofitti)

Vendaje

1 ramita de cilantro, picado

1 cucharada de vinagre blanco destilado

1/4 de limón, en jugo, aproximadamente 2 cucharaditas

1/4 taza de aceite de oliva extra virgen

1 cucharadita Mostaza inglesa

Deberes

Combine todos los ingredientes del aderezo en un procesador de alimentos.

Mezcle con el resto de los ingredientes y combine bien.

Ensalada de ricotta de tofu y almendras verdes mixtas

Ingredientes:

6 a 7 tazas de mezclum, 3 paquetes, recortado

1/4 de pepino, cortado por la mitad a lo largo y luego en rodajas finas

3 cucharadas de cebollino picado o cortado en tiras

16 tomatillos, cortados por la mitad

1/2 taza de almendras en rodajas

1/4 de cebolla blanca en rodajas

Sal y pimienta para probar

8 onzas de queso tofu ricotta (tofitti)

Vendaje

1 ramita de cilantro, picado

1 cucharada de vinagre blanco destilado

1/4 de limón, en jugo, aproximadamente 2 cucharaditas

1/4 taza de aceite de oliva extra virgen

1 cucharadita mayonesa sin huevo

Deberes

Combine todos los ingredientes del aderezo en un procesador de alimentos.

Mezcle con el resto de los ingredientes y combine bien.

Ensalada De Tomate Kale Y Queso Parmesano Vegano

Ingredientes:

6 a 7 tazas de col rizada, 3 paquetes, recortados

1/4 de pepino, cortado por la mitad a lo largo y luego en rodajas finas

3 cucharadas de cebollino picado o cortado en tiras

16 tomates cherry

1/2 taza de almendras en rodajas

1/4 de cebolla blanca en rodajas

Sal y pimienta para probar

Queso parmesano vegano (comida de ángel)

Vendaje

1 ramita de cilantro, picado

1 cucharada de vinagre blanco destilado

1/4 de limón, en jugo, aproximadamente 2 cucharaditas

1/4 taza de aceite de oliva extra virgen

1 cucharadita Mostaza inglesa

Deberes

Combine todos los ingredientes del aderezo en un procesador de alimentos.

Mezcle con el resto de los ingredientes y combine bien.

Ensalada de tomate perifollo y queso parmesano vegano

Ingredientes:

6 a 7 tazas de perifollo, 3 paquetes, recortado

1/4 de pepino, cortado por la mitad a lo largo y luego en rodajas finas

3 cucharadas de cebollino picado o cortado en tiras

16 tomates cherry

1/2 taza de almendras en rodajas

1/4 de cebolla blanca en rodajas

Sal y pimienta para probar

Queso parmesano vegano (comida de ángel)

Vendaje

1 ramita de cilantro, picado

1 cucharada de vinagre blanco destilado

1/4 de limón, en jugo, aproximadamente 2 cucharaditas

1/4 taza de aceite de oliva extra virgen

1 cucharadita Mostaza inglesa

Deberes

Combine todos los ingredientes del aderezo en un procesador de alimentos.

Mezcle con el resto de los ingredientes y combine bien.

Ensalada Bib Lettuce Tomatillo and Tofu Ricotta Cheese

Ingredientes:

6 a 7 tazas de lechuga babero, 3 manojos, recortados

1/4 de pepino, cortado por la mitad a lo largo y luego en rodajas finas

3 cucharadas de cebollino picado o cortado en tiras

16 tomatillos verdes, cortados por la mitad

1/2 taza de almendras en rodajas

1/4 de cebolla blanca en rodajas

Sal y pimienta para probar

8 onzas de queso tofu ricotta (tofitti)

Vendaje

1 ramita de cilantro, picado

1 cucharada de vinagre blanco destilado

1/4 de limón, en jugo, aproximadamente 2 cucharaditas

1/4 taza de aceite de oliva extra virgen

1 cucharadita mayonesa sin huevo

Deberes

Combine todos los ingredientes del aderezo en un procesador de alimentos.

Mezcle con el resto de los ingredientes y combine bien.

Ensalada de tomates y almendras con espinacas

Ingredientes:

6 a 7 tazas de espinacas, 3 manojos, recortados

1/4 de pepino, cortado por la mitad a lo largo y luego en rodajas finas

3 cucharadas de cebollino picado o cortado en tiras

16 tomates cherry

1/2 taza de almendras en rodajas

1/4 de cebolla blanca en rodajas

Sal y pimienta para probar

8 onzas de queso vegano

Vendaje

1 ramita de cilantro, picado

1 cucharada de vinagre blanco destilado

1/4 de limón, en jugo, aproximadamente 2 cucharaditas

1/4 taza de aceite de oliva extra virgen

1 cucharadita Mostaza inglesa

Deberes

Combine todos los ingredientes del aderezo en un procesador de alimentos.

Mezcle con el resto de los ingredientes y combine bien.

Ensalada de Tomatillo de Repollo Napa y Queso Parmesano Vegano

Ingredientes:

6 a 7 tazas de repollo Napa, 3 paquetes, recortado

1/4 de pepino, cortado por la mitad a lo largo y luego en rodajas finas

3 cucharadas de cebollino picado o cortado en tiras

16 tomatillos, cortados por la mitad

1/2 taza de almendras en rodajas

1/4 de cebolla blanca en rodajas

Sal y pimienta para probar

Queso parmesano vegano (comida de ángel)

Vendaje

1 ramita de cilantro, picado

1 cucharada de vinagre blanco destilado

1/4 de limón, en jugo, aproximadamente 2 cucharaditas

1/4 taza de aceite de oliva extra virgen

Deberes

Combine todos los ingredientes del aderezo en un procesador de alimentos.

Mezcle con el resto de los ingredientes y combine bien.

Ensalada de achicoria, tomatillo y almendras

Ingredientes:

6 a 7 tazas de achicoria, 3 manojos, recortados

1/4 de pepino, cortado por la mitad a lo largo y luego en rodajas finas

3 cucharadas de cebollino picado o cortado en tiras

16 tomatillos verdes, cortados por la mitad

1/2 taza de almendras en rodajas

1/4 de cebolla blanca en rodajas

Sal y pimienta para probar

Queso parmesano vegano (comida de ángel)

Vendaje

1 ramita de cilantro, picado

1 cucharada de vinagre blanco destilado

1/4 de limón, en jugo, aproximadamente 2 cucharaditas

1/4 taza de aceite de oliva extra virgen

1 cucharadita Mostaza inglesa

Deberes

Combine todos los ingredientes del aderezo en un procesador de alimentos.

Mezcle con el resto de los ingredientes y combine bien.

Ensalada De Tomate Kale Y Queso Tofu Ricotta

Ingredientes:

6 a 7 tazas de col rizada, 3 paquetes, recortados

1/4 de pepino, cortado por la mitad a lo largo y luego en rodajas finas

3 cucharadas de cebollino picado o cortado en tiras

16 tomates cherry

1/2 taza de almendras en rodajas

1/4 de cebolla blanca en rodajas

Sal y pimienta para probar

8 onzas de queso tofu ricotta (tofitti)

Vendaje

1 ramita de cilantro, picado

1 cucharada de vinagre blanco destilado

1/4 de limón, en jugo, aproximadamente 2 cucharaditas

1/4 taza de aceite de oliva extra virgen

1 cucharadita mayonesa sin huevo

Deberes

Combine todos los ingredientes del aderezo en un procesador de alimentos.

Mezcle con el resto de los ingredientes y combine bien.

Ensalada de tomates de repollo de Napa y queso ricotta de tofu

Ingredientes:

6 a 7 tazas de repollo Napa, 3 paquetes, recortado

1/4 de pepino, cortado por la mitad a lo largo y luego en rodajas finas

3 cucharadas de cebollino picado o cortado en tiras

16 tomates cherry

1/2 taza de almendras en rodajas

1/4 de cebolla blanca en rodajas

Sal y pimienta para probar

8 onzas de queso tofu ricotta (tofitti)

Vendaje

1 ramita de cilantro, picado

1 cucharada de vinagre blanco destilado

1/4 de limón, en jugo, aproximadamente 2 cucharaditas

1/4 taza de aceite de oliva extra virgen

Deberes

Combine todos los ingredientes del aderezo en un procesador de alimentos.

Mezcle con el resto de los ingredientes y combine bien.

Ensalada de tomatillos de remolacha tierna y queso vegano

Ingredientes:

6 a 7 tazas de hojas de remolacha tiernas, 3 paquetes, recortadas

1/4 de pepino, cortado por la mitad a lo largo y luego en rodajas finas

3 cucharadas de cebollino picado o cortado en tiras

16 tomatillos, cortados por la mitad

1/2 taza de almendras en rodajas

1/4 de cebolla blanca en rodajas

Sal y pimienta para probar

8 onzas de queso vegano

Vendaje

1 ramita de cilantro, picado

1 cucharada de vinagre blanco destilado

1/4 de limón, en jugo, aproximadamente 2 cucharaditas

1/4 taza de aceite de oliva extra virgen

1 cucharadita Mostaza inglesa

Deberes

Combine todos los ingredientes del aderezo en un procesador de alimentos.

Mezcle con el resto de los ingredientes y combine bien.

Ensalada de lechuga romana súper simple

Ingredientes:

1 cabeza de lechuga romana, enjuagada, palmeada y rallada

Vendaje

1/2 taza de vinagre de vino blanco

1 cucharada de aceite de oliva virgen extra

Pimienta negra recién molida

3/4 taza de almendras finamente molidas

Sal marina

Deberes

Combine todos los ingredientes del aderezo en un procesador de alimentos.

Mezcle con el resto de los ingredientes y combine bien.

Ensalada Fácil De Lechuga

Ingredientes:

1 cabeza de lechuga babero, enjuagada, palmeada y rallada

Vendaje

2 cucharadas. vinagre de vino blanco

4 cucharadas de aceite de macadamia

Pimienta negra recién molida

3/4 taza de maní finamente molido

Sal marina

Deberes

Combine todos los ingredientes del aderezo en un procesador de alimentos.

Mezcle con el resto de los ingredientes y combine bien.

Ensalada Easy Boston

Ingredientes:

1 cabeza de lechuga Boston, enjuagada, aplastada y rallada

Vendaje

2 cucharadas. vinagre de sidra de manzana

4 cucharadas de aceite de oliva

Pimienta negra recién molida

3/4 taza de nueces finamente molidas

Sal marina

Deberes

Combine todos los ingredientes del aderezo en un procesador de alimentos.

Mezcle con el resto de los ingredientes y combine bien.

Ensalada fácil de verduras mixtas

Ingredientes:

Puñado de Mesclun, enjuagado, palmeado y triturado

Vendaje

2 cucharadas. vinagre de sidra de manzana

4 cucharadas de aceite de oliva

Pimienta negra recién molida

3/4 taza de avellanas finamente molidas

Sal marina

Deberes

Combine todos los ingredientes del aderezo en un procesador de alimentos.

Mezcle con el resto de los ingredientes y combine bien.

Ensalada De Lechuga

Ingredientes:

1 cabeza de lechuga babero, enjuagada, palmeada y rallada

Vendaje

2 cucharadas. vinagre balsámico

4 cucharadas de aceite de oliva virgen extra

Pimienta negra recién molida

3/4 taza de maní finamente molido

Sal marina

Deberes

Combine todos los ingredientes del aderezo en un procesador de alimentos.

Mezcle con el resto de los ingredientes y combine bien.

Ensalada de lechuga Boston con glaseado balsámico

Ingredientes:

1 cabeza de lechuga Boston, enjuagada, aplastada y rallada

Vendaje

2 cucharadas. vinagre balsámico

4 cucharadas de aceite de macadamia

Pimienta negra recién molida

3/4 taza de almendras finamente molidas

Sal marina

Deberes

Combine todos los ingredientes del aderezo en un procesador de alimentos.

Mezcle con el resto de los ingredientes y combine bien.

Ensalada Simple De Escarola

Ingredientes:

1 cabeza de escarola, enjuagada, palmeada y desmenuzada

Vendaje

2 cucharadas. vinagre de vino blanco

4 cucharadas de aceite de oliva virgen extra

Pimienta negra recién molida

3/4 taza de nueces finamente molidas

Sal marina

Deberes

Combine todos los ingredientes del aderezo en un procesador de alimentos.

Mezcle con el resto de los ingredientes y combine bien.

Ensalada de verduras mixtas

Ingredientes:

Puñado de Mesclun, enjuagado, palmeado y triturado

Vendaje

2 cucharadas. vinagre blanco destilado

4 cucharadas de aceite de oliva virgen extra

Pimienta negra recién molida

3/4 taza de anacardos finamente molidos

Sal marina

Deberes

Combine todos los ingredientes del aderezo en un procesador de alimentos.

Mezcle con el resto de los ingredientes y combine bien.

Ensalada de lechuga y maní de Boston

Ingredientes:

1 cabeza de lechuga Boston, enjuagada, aplastada y rallada

Vendaje

2 cucharadas. vinagre de sidra de manzana

4 cucharadas de aceite de oliva

Pimienta negra recién molida

3/4 taza de maní finamente molido

Sal marina

Deberes

Combine todos los ingredientes del aderezo en un procesador de alimentos.

Mezcle con el resto de los ingredientes y combine bien.

Lechuga Boston con Glaseado Balsámico

Ingredientes:

1 cabeza de lechuga Boston, enjuagada, aplastada y rallada

Vendaje

2 cucharadas. vinagre balsámico

4 cucharadas de aceite de macadamia

Pimienta negra recién molida

3/4 taza de avellanas finamente molidas

Sal marina

Deberes

Combine todos los ingredientes del aderezo en un procesador de alimentos.

Mezcle con el resto de los ingredientes y combine bien.

Lechuga Babero con Vinagreta de Nueces

Ingredientes:

1 cabeza de lechuga babero, enjuagada, palmeada y rallada

Vendaje

2 cucharadas. vinagre blanco destilado

4 cucharadas de aceite de oliva virgen extra

Pimienta negra recién molida

3/4 taza de nueces finamente molidas

Sal marina

Deberes

Combine todos los ingredientes del aderezo en un procesador de alimentos.

Mezcle con el resto de los ingredientes y combine bien.

Lechuga Romana con Vinagreta de Avellanas

Ingredientes:

1 cabeza de lechuga romana, enjuagada, palmeada y rallada

Vendaje

2 cucharadas. vinagre de sidra de manzana

4 cucharadas de aceite de oliva virgen extra

Pimienta negra recién molida

3/4 taza de avellanas finamente molidas

Sal marina

Deberes

Combine todos los ingredientes del aderezo en un procesador de alimentos.

Mezcle con el resto de los ingredientes y combine bien.

Ensalada de verduras mixtas con vinagreta de almendras

Ingredientes:

Puñado de Mesclun, enjuagado, palmeado y triturado

Vendaje

2 cucharadas. vinagre de vino blanco

4 cucharadas de aceite de oliva

Pimienta negra recién molida

3/4 taza de almendras finamente molidas

Sal marina

Deberes

Combine todos los ingredientes del aderezo en un procesador de alimentos.

Mezcle con el resto de los ingredientes y combine bien.

Ensalada de Escarola con Maní y Vinagreta Balsámica

Ingredientes:

1 cabeza de escarola, enjuagada, palmeada y desmenuzada

Vendaje

2 cucharadas. vinagre balsámico

4 cucharadas de aceite de oliva virgen extra

Pimienta negra recién molida

3/4 taza de maní finamente molido

Sal marina

Deberes

Combine todos los ingredientes del aderezo en un procesador de alimentos.

Mezcle con el resto de los ingredientes y combine bien.

Lechuga Babero con Vinagreta de Anacardos

Ingredientes:

1 cabeza de lechuga babero, enjuagada, palmeada y rallada

Vendaje

2 cucharadas. vinagre blanco destilado

4 cucharadas de aceite de macadamia

Pimienta negra recién molida

3/4 taza de anacardos finamente molidos

Sal marina

Deberes

Combine todos los ingredientes del aderezo en un procesador de alimentos.

Mezcle con el resto de los ingredientes y combine bien.

Ensalada de lechuga romana con vinagreta de nueces

Ingredientes:

1 cabeza de lechuga romana, enjuagada, palmeada y rallada

Vendaje

2 cucharadas. vinagre de vino tinto

1 cucharada de aceite de oliva virgen extra

Pimienta negra recién molida

3/4 taza de nueces finamente molidas

Sal marina

Deberes

Combine todos los ingredientes del aderezo en un procesador de alimentos.

Mezcle con el resto de los ingredientes y combine bien.

Ensalada de verduras mixtas con vinagreta de almendras

Ingredientes:

Puñado de Mesclun, enjuagado, palmeado y triturado

Vendaje

2 cucharadas. vinagre balsámico

1 cucharada de aceite de oliva virgen extra

Pimienta negra recién molida

3/4 taza de almendras finamente molidas

Sal marina

Deberes

Combine todos los ingredientes del aderezo en un procesador de alimentos.

Mezcle con el resto de los ingredientes y combine bien.

Ensalada de lechuga romana con vinagreta de anacardos

Ingredientes:

1 cabeza de lechuga romana, enjuagada, palmeada y rallada

Vendaje

2 cucharadas. vinagre de sidra de manzana

4 cucharadas de aceite de oliva

Pimienta negra recién molida

3/4 taza de anacardos finamente molidos

Sal marina

Deberes

Combine todos los ingredientes del aderezo en un procesador de alimentos.

Mezcle con el resto de los ingredientes y combine bien.

Ensalada de Escarola con Vinagreta de Avellanas

Ingredientes:

1 cabeza de escarola, enjuagada, palmeada y desmenuzada

Vendaje

2 cucharadas. vinagre de vino blanco

4 cucharadas de aceite de oliva virgen extra

Pimienta negra recién molida

3/4 taza de avellanas finamente molidas

Sal marina

Deberes

Combine todos los ingredientes del aderezo en un procesador de alimentos.

Mezcle con el resto de los ingredientes y combine bien.

Ensalada de lechuga con vinagreta de maní

Ingredientes:

1 cabeza de lechuga babero, enjuagada, palmeada y rallada

Vendaje

2 cucharadas. vinagre blanco destilado

4 cucharadas de aceite de macadamia

Pimienta negra recién molida

3/4 taza de maní finamente molido

Sal marina

Deberes

Combine todos los ingredientes del aderezo en un procesador de alimentos.

Mezcle con el resto de los ingredientes y combine bien.

Ensalada De Lechuga Grilles Boston

Ingredientes:

1 cabeza de lechuga Boston, enjuagada, aplastada y rallada

Vendaje

2 cucharadas. vinagre de vino blanco

4 cucharadas de aceite de oliva virgen extra

Pimienta negra recién molida

3/4 taza de almendras finamente molidas

Sal marina

Deberes

Asa la lechuga y / o las verduras a fuego medio hasta que estén ligeramente carbonizadas.

Combine todos los ingredientes del aderezo en un procesador de alimentos.

Mezcle con el resto de los ingredientes y combine bien.

Ensalada de lechuga romana a la parrilla

Ingredientes:

1 cabeza de lechuga romana, enjuagada, palmeada y rallada

Vendaje

2 cucharadas. vinagre balsámico

4 cucharadas de aceite de oliva virgen extra

Pimienta negra recién molida

3/4 taza de maní finamente molido

Sal marina

Deberes

Asa la lechuga y / o las verduras a fuego medio hasta que estén ligeramente carbonizadas.

Combine todos los ingredientes del aderezo en un procesador de alimentos.

Mezcle con el resto de los ingredientes y combine bien.

Ensalada de lechuga romana a la parrilla y vinagreta de anacardos

Ingredientes:

1 cabeza de lechuga romana, enjuagada, palmeada y rallada

Vendaje

2 cucharadas. vinagre de vino tinto

4 cucharadas de aceite de oliva

Pimienta negra recién molida

3/4 taza de anacardos finamente molidos

Sal marina

Deberes

Asa la lechuga y / o las verduras a fuego medio hasta que estén ligeramente carbonizadas.

Combine todos los ingredientes del aderezo en un procesador de alimentos.

Mezcle con el resto de los ingredientes y combine bien.

Ensalada de lechuga romana a la parrilla y vinagreta de almendras

Ingredientes:

1 cabeza de lechuga romana, enjuagada, palmeada y rallada

Vendaje

2 cucharadas. vinagre de vino tinto

4 cucharadas de aceite de oliva virgen extra

Pimienta negra recién molida

3/4 taza de almendras finamente molidas

Sal marina

Deberes

Asa la lechuga y / o las verduras a fuego medio hasta que estén ligeramente carbonizadas.

Combine todos los ingredientes del aderezo en un procesador de alimentos.

Mezcle con el resto de los ingredientes y combine bien.

Repollo de Napa a la parrilla con vinagreta de anacardos

Ingredientes:

1 cabeza de repollo Napa, enjuagado, palmeado y rallado

½ taza de alcaparras

Vendaje

2 cucharadas. vinagre balsámico

4 cucharadas de aceite de macadamia

Pimienta negra recién molida

3/4 taza de anacardos finamente molidos

Sal marina

Deberes

Asa la lechuga y / o las verduras a fuego medio hasta que estén ligeramente carbonizadas.

Combine todos los ingredientes del aderezo en un procesador de alimentos.

Mezcle con el resto de los ingredientes y combine bien.

Ensalada de lechuga Boston a la parrilla y vinagreta de anacardos

Ingredientes:

1 cabeza de lechuga Boston, enjuagada, aplastada y rallada

½ taza de aceitunas verdes

Vendaje

2 cucharadas. vinagre de vino blanco

4 cucharadas de aceite de oliva virgen extra

Pimienta negra recién molida

3/4 taza de anacardos finamente molidos

Sal marina

Deberes

Asa la lechuga y / o las verduras a fuego medio hasta que estén ligeramente carbonizadas.

Combine todos los ingredientes del aderezo en un procesador de alimentos.

Mezcle con el resto de los ingredientes y combine bien.

Ensalada De Lechuga Romana A La Parrilla Y Aceitunas Verdes

Ingredientes:

1 cabeza de lechuga romana, enjuagada, palmeada y rallada

½ taza de aceitunas verdes

Vendaje

2 cucharadas. vinagre de sidra de manzana

4 cucharadas de aceite de oliva

Pimienta negra recién molida

3/4 taza de nueces finamente molidas

Sal marina

Deberes

Asa la lechuga y / o las verduras a fuego medio hasta que estén ligeramente carbonizadas.

Combine todos los ingredientes del aderezo en un procesador de alimentos.

Mezcle con el resto de los ingredientes y combine bien.

Ensalada De Lechuga A La Parrilla Y Aceitunas Verdes

Ingredientes:

1 cabeza de lechuga babero, enjuagada, palmeada y rallada

½ taza de aceitunas verdes

Vendaje

2 cucharadas. vinagre de vino tinto

4 cucharadas de aceite de oliva virgen extra

Pimienta negra recién molida

3/4 taza de almendras finamente molidas

Sal marina

Deberes

Asa la lechuga y / o las verduras a fuego medio hasta que estén ligeramente carbonizadas.

Combine todos los ingredientes del aderezo en un procesador de alimentos.

Mezcle con el resto de los ingredientes y combine bien.

Ensalada De Lechuga Romana A La Parrilla Y Alcaparras Verdes

Ingredientes:

1 cabeza de lechuga romana, enjuagada, palmeada y rallada

½ taza de alcaparras verdes

Vendaje

2 cucharadas. vinagre de sidra de manzana

4 cucharadas de aceite de oliva virgen extra

Pimienta negra recién molida

3/4 taza de maní finamente molido

Sal marina

Deberes

Asa la lechuga y / o las verduras a fuego medio hasta que estén ligeramente carbonizadas.

Combine todos los ingredientes del aderezo en un procesador de alimentos.

Mezcle con el resto de los ingredientes y combine bien.

Ensalada de lechuga romana y alcaparras a la parrilla

Ingredientes:

1 cabeza de lechuga romana, enjuagada, palmeada y rallada

½ taza de alcaparras verdes

Vendaje

2 cucharadas. vinagre de vino blanco

4 cucharadas de aceite de oliva virgen extra

Pimienta negra recién molida

3/4 taza de nueces finamente molidas

Sal marina

Deberes

Asa la lechuga y / o las verduras a fuego medio hasta que estén ligeramente carbonizadas.

Combine todos los ingredientes del aderezo en un procesador de alimentos.

Mezcle con el resto de los ingredientes y combine bien.

Ensalada de aceitunas negras y Boston a la parrilla

Ingredientes:

1 cabeza de lechuga Boston, enjuagada, aplastada y rallada

½ taza de aceitunas negras

Vendaje

2 cucharadas. vinagre balsámico

4 cucharadas de aceite de macadamia

Pimienta negra recién molida

3/4 taza de anacardos finamente molidos

Sal marina

Deberes

Asa la lechuga y / o las verduras a fuego medio hasta que estén ligeramente carbonizadas.

Combine todos los ingredientes del aderezo en un procesador de alimentos.

Mezcle con el resto de los ingredientes y combine bien.

Ensalada De Lechuga Romana A La Parrilla Y Aceitunas Kalamata

Ingredientes:

1 cabeza de lechuga romana, enjuagada, palmeada y rallada

½ taza de aceitunas Kalamata

Vendaje

2 cucharadas. vinagre de vino tinto

4 cucharadas de aceite de oliva

Pimienta negra recién molida

3/4 taza de almendras finamente molidas

Sal marina

Deberes

Asa la lechuga y / o las verduras a fuego medio hasta que estén ligeramente carbonizadas.

Combine todos los ingredientes del aderezo en un procesador de alimentos.

Mezcle con el resto de los ingredientes y combine bien.

Lechuga Romana con Aceitunas Verdes y Vinagreta de Maní

Ingredientes:

1 cabeza de lechuga romana, enjuagada, palmeada y rallada

½ taza de aceitunas verdes

Vendaje

2 cucharadas. vinagre de sidra de manzana

4 cucharadas de aceite de oliva virgen extra

Pimienta negra recién molida

3/4 taza de maní finamente molido

Sal marina

Deberes

Combine todos los ingredientes del aderezo en un procesador de alimentos.

Mezcle con el resto de los ingredientes y combine bien.

Alcaparras de lechuga romana y vinagreta de almendras

Ingredientes:

1 cabeza de lechuga romana, enjuagada, palmeada y rallada

½ taza de alcaparras

Vendaje

2 cucharadas. vinagre de sidra de manzana

4 cucharadas de aceite de oliva virgen extra

Pimienta negra recién molida

3/4 taza de almendras finamente molidas

Sal marina

Deberes

Combine todos los ingredientes del aderezo en un procesador de alimentos.

Mezcle con el resto de los ingredientes y combine bien.

Lechuga Boston con Corazones de Alcachofa y Vinagreta de Anacardos

Ingredientes:

1 cabeza de lechuga Boston, enjuagada, aplastada y rallada

½ taza de corazones de alcachofa

Vendaje

2 cucharadas. vinagre de vino blanco

4 cucharadas de aceite de oliva virgen extra

Pimienta negra recién molida

3/4 taza de anacardos finamente molidos

Sal marina

Deberes

Combine todos los ingredientes del aderezo en un procesador de alimentos.

Mezcle con el resto de los ingredientes y combine bien.

Alcachofas y Corazones de Alcachofa con Glaseado Balsámico

Ingredientes:

1 alcachofa, enjuagada y palmeada

½ taza de corazones de alcachofa

Vendaje

2 cucharadas. vinagre balsámico

4 cucharadas de aceite de macadamia

Pimienta negra recién molida

3/4 taza de maní finamente molido

Sal marina

Deberes

Combine todos los ingredientes del aderezo en un procesador de alimentos.

Mezcle con el resto de los ingredientes y combine bien.

Alcachofa y Aceitunas Verdes con Vinagreta de Nueces

Ingredientes:

1 alcachofa, enjuagada y palmeada

½ taza de aceitunas verdes

Vendaje

2 cucharadas. vinagre de vino tinto

4 cucharadas de aceite de oliva virgen extra

Pimienta negra recién molida

3/4 taza de nueces finamente molidas

Sal marina

Deberes

Combine todos los ingredientes del aderezo en un procesador de alimentos.

Mezcle con el resto de los ingredientes y combine bien.

Lechuga Romana con Aceitunas Negras y Corazones de Alcachofa

Ingredientes:

1 cabeza de lechuga romana, enjuagada, palmeada y rallada

½ taza de aceitunas negras

½ taza de corazones de alcachofa

Vendaje

2 cucharadas. vinagre de sidra de manzana

4 cucharadas de aceite de oliva

Pimienta negra recién molida

3/4 taza de almendras finamente molidas

Sal marina

Deberes

Combine todos los ingredientes del aderezo en un procesador de alimentos.

Mezcle con el resto de los ingredientes y combine bien.

Corazones de Alcachofa con Ensalada de Aceitunas Negras

Ingredientes:

1 cabeza de lechuga romana, enjuagada, palmeada y rallada

½ taza de aceitunas negras

½ taza de corazones de alcachofa

Vendaje

2 cucharadas. vinagre de vino blanco

4 cucharadas de aceite de oliva virgen extra

Pimienta negra recién molida

3/4 taza de maní finamente molido

Sal marina

Deberes

Combine todos los ingredientes del aderezo en un procesador de alimentos.

Mezcle con el resto de los ingredientes y combine bien.

Ensalada de corazón de alcachofa y aceitunas negras con lechuga Boston

Ingredientes:

1 cabeza de lechuga Boston, enjuagada, aplastada y rallada

½ taza de aceitunas negras

½ taza de corazones de alcachofa

Vendaje

2 cucharadas. vinagre de vino tinto

4 cucharadas de aceite de oliva virgen extra

Pimienta negra recién molida

3/4 taza de almendras finamente molidas

Sal marina

Deberes

Combine todos los ingredientes del aderezo en un procesador de alimentos.

Mezcle con el resto de los ingredientes y combine bien.

Ensalada de Lechuga Romana con Corazón de Alcachofa y Vinagreta de Macadamia

Ingredientes:

1 cabeza de lechuga romana, enjuagada, palmeada y rallada

½ taza de aceitunas negras

½ taza de corazones de alcachofa

Vendaje

2 cucharadas. vinagre balsámico

4 cucharadas de aceite de macadamia

Pimienta negra recién molida

3/4 taza de anacardos finamente molidos

Sal marina

Deberes

Combine todos los ingredientes del aderezo en un procesador de alimentos.

Mezcle con el resto de los ingredientes y combine bien.

Ensalada Bib Lettuce Black Olives and Alcachofa Corazón

Ingredientes:

1 cabeza de lechuga babero, enjuagada, palmeada y rallada

½ taza de aceitunas negras

½ taza de corazones de alcachofa

Vendaje

2 cucharadas. vinagre de vino blanco

4 cucharadas de aceite de oliva virgen extra

Pimienta negra recién molida

3/4 taza de almendras finamente molidas

Sal marina

Deberes

Combine todos los ingredientes del aderezo en un procesador de alimentos.

Mezcle con el resto de los ingredientes y combine bien.

Lechuga Boston con vinagreta de sidra de manzana

Ingredientes:

1 cabeza de lechuga Boston, enjuagada, aplastada y rallada

½ taza de aceitunas negras

½ taza de corazones de alcachofa

Vendaje

2 cucharadas. vinagre de sidra de manzana

4 cucharadas de aceite de oliva virgen extra

Pimienta negra recién molida

3/4 taza de maní finamente molido

Sal marina

Deberes

Combine todos los ingredientes del aderezo en un procesador de alimentos.

Mezcle con el resto de los ingredientes y combine bien.

Ensalada de lechuga romana con corazón de alcachofa y vinagreta de anacardos

Ingredientes:

1 cabeza de lechuga romana, enjuagada, palmeada y rallada

½ taza de aceitunas negras

½ taza de corazones de alcachofa

Vendaje

2 cucharadas. vinagre de vino tinto

4 cucharadas de aceite de oliva

Pimienta negra recién molida

3/4 taza de anacardos finamente molidos

Sal marina

Deberes

Combine todos los ingredientes del aderezo en un procesador de alimentos.

Mezcle con el resto de los ingredientes y combine bien.

Ensalada de corazón de alcachofa y lechuga romana y aceitunas verdes

Ingredientes:

1 cabeza de lechuga romana, enjuagada, palmeada y rallada

½ taza de aceitunas verdes

½ taza de corazones de alcachofa

Vendaje

2 cucharadas. vinagre de vino tinto

4 cucharadas de aceite de macadamia

Pimienta negra recién molida

3/4 taza de nueces finamente molidas

Sal marina

Deberes

Combine todos los ingredientes del aderezo en un procesador de alimentos.

Mezcle con el resto de los ingredientes y combine bien.

Ensalada Bib Lettuce Kalamata Olives and Alcachofa Corazón

Ingredientes:

1 cabeza de lechuga babero, enjuagada, palmeada y rallada

½ taza de aceitunas Kalamata

½ taza de corazones de alcachofa

Vendaje

2 cucharadas. vinagre de vino blanco

4 cucharadas de aceite de oliva virgen extra

Pimienta negra recién molida

3/4 taza de almendras finamente molidas

Sal marina

Deberes

Combine todos los ingredientes del aderezo en un procesador de alimentos.

Mezcle con el resto de los ingredientes y combine bien.

Ensalada de lechuga romana, maíz baby y corazón de alcachofa

Ingredientes:

1 cabeza de lechuga romana, enjuagada, palmeada y rallada

½ taza de maíz tierno

½ taza de corazones de alcachofa

Vendaje

2 cucharadas. vinagre balsámico

4 cucharadas de aceite de macadamia

Pimienta negra recién molida

3/4 taza de anacardos finamente molidos

Sal marina

Deberes

Combine todos los ingredientes del aderezo en un procesador de alimentos.

Mezcle con el resto de los ingredientes y combine bien.

Ensalada de zanahorias tiernas con lechuga Boston y corazón de alcachofa

Ingredientes:

1 cabeza de lechuga Boston, enjuagada, aplastada y rallada

½ taza de zanahorias pequeñas

½ taza de corazones de alcachofa

Vendaje

2 cucharadas. vinagre de vino blanco

4 cucharadas de aceite de oliva virgen extra

Pimienta negra recién molida

3/4 taza de maní finamente molido

Sal marina

Deberes

Combine todos los ingredientes del aderezo en un procesador de alimentos.

Mezcle con el resto de los ingredientes y combine bien.

Ensalada de lechuga romana, aceitunas negras y maíz baby

Ingredientes:

1 cabeza de lechuga romana, enjuagada, palmeada y rallada

½ taza de aceitunas negras

½ taza de maíz tierno enlatado

Vendaje

2 cucharadas. vinagre de sidra de manzana

4 cucharadas de aceite de oliva

Pimienta negra recién molida

3/4 taza de almendras finamente molidas

Sal marina

Deberes

Combine todos los ingredientes del aderezo en un procesador de alimentos.

Mezcle con el resto de los ingredientes y combine bien.

Alcaparras de alcachofa y ensalada de corazón de alcachofa

Ingredientes:

1 alcachofa, enjuagada, aplastada y desmenuzada

½ taza de alcaparras

½ taza de corazones de alcachofa

Vendaje

2 cucharadas. vinagre de vino blanco

4 cucharadas de aceite de oliva virgen extra

Pimienta negra recién molida

3/4 taza de almendras finamente molidas

Sal marina

Deberes

Combine todos los ingredientes del aderezo en un procesador de alimentos.

Mezcle con el resto de los ingredientes y combine bien.

Ensalada de corazón de alcachofas y maíz baby de hojas verdes mixtas

Ingredientes:

1 manojo de Mesclun, enjuagado, palmeado y rallado

½ taza de maíz tierno enlatado

½ taza de corazones de alcachofa

Vendaje

2 cucharadas. vinagre de vino blanco

4 cucharadas de aceite de oliva virgen extra

Pimienta negra recién molida

3/4 taza de maní finamente molido

Sal marina

Deberes

Combine todos los ingredientes del aderezo en un procesador de alimentos.

Mezcle con el resto de los ingredientes y combine bien.

Lechuga Romana con Aderezo de Tomatillo

Ingredientes:

1 cabeza de lechuga romana, rallada

4 tomates grandes, sin semillas y picados

4 rábanos, en rodajas finas

Vendaje

6 tomatillos, enjuagados y cortados por la mitad

1 jalapeño, cortado por la mitad

1 cebolla blanca, cortada en cuartos

2 cucharadas de aceite de oliva virgen extra

Sal kosher y pimienta negra recién molida

1/2 cucharadita de comino molido

1 taza de queso crema sin lácteos

2 cucharadas de jugo de limón fresco

Comida precocinada

Precaliente el horno a 400 grados F.

Para el aderezo, coloque los tomatillos, el jalapeño y la cebolla en una bandeja para hornear galletas.

Rocíe con aceite de oliva y espolvoree con sal y pimienta.

Ase en el horno durante 25 a 30 min. hasta que las verduras comiencen a dorarse y oscurecerse ligeramente.

Transfiera a un procesador de alimentos y déjelo enfriar y luego mezcle.

Agrega el resto de los ingredientes y refrigera por una hora.

Mezcle con el resto de los ingredientes y combine bien.

Ensalada griega de lechuga romana y tomate

Ingredientes:

1 cabeza de lechuga romana picada

4 tomates maduros enteros, cortados en 6 gajos cada uno, luego cada gajo cortado por la mitad

1 pepino mediano entero, pelado, cortado en cuartos a lo largo y cortado en cubitos grandes

1/2 cebolla blanca entera, en rodajas muy finas

30 aceitunas verdes enteras sin hueso, cortadas por la mitad a lo largo, más 6 aceitunas picadas finas

6 onzas de queso vegano desmenuzado

Hojas de perejil fresco, picadas

Vendaje

1/4 taza de aceite de oliva virgen extra

2 cucharadas de vinagre de vino blanco

1 cucharadita de azúcar o más al gusto

1 diente de ajo picado

Sal y pimienta negra recién molida

Jugo de ½ limón

Sal marina

Deberes

Combine todos los ingredientes del aderezo en un procesador de alimentos y mezcle.

Sazone con más sal si es necesario.

Mezcle todos los ingredientes.

Ensalada De Tomate Ciruela Y Pepino

Ingredientes:

5 tomates ciruela medianos, cortados por la mitad a lo largo, sin semillas y en rodajas finas

1/4 de cebolla blanca, pelada, cortada por la mitad a lo largo y en rodajas finas

1 pepino grande, cortado por la mitad a lo largo y en rodajas finas

Vendaje

¼ taza de aceite de oliva extra virgen

2 salpicaduras de vinagre de vino blanco

Sal gruesa y pimienta negra

Deberes

Combine todos los ingredientes del aderezo.

Mezcle con el resto de los ingredientes y combine bien.

Ensalada de champiñones y pepino Enoki

Ingredientes:

15 hongos Enoki, en rodajas finas

1/4 de cebolla blanca, pelada, cortada por la mitad a lo largo y en rodajas finas

1 pepino grande, cortado por la mitad a lo largo y en rodajas finas

Vendaje

¼ taza de aceite de oliva extra virgen

2 salpicaduras de vinagre de vino blanco

Sal gruesa y pimienta negra

Deberes

Combine todos los ingredientes del aderezo.

Mezcle con el resto de los ingredientes y combine bien.

Ensalada de tomate y calabacín

Ingredientes:

5 tomates medianos, cortados por la mitad a lo largo, sin semillas y en rodajas finas

1/4 de cebolla blanca, pelada, cortada por la mitad a lo largo y en rodajas finas

1 calabacín grande cortado por la mitad a lo largo, en rodajas finas y escaldado

Vendaje

¼ taza de aceite de oliva extra virgen

2 cucharadas. vinagre de sidra de manzana

Sal gruesa y pimienta negra

Deberes

Combine todos los ingredientes del aderezo.

Mezcle con el resto de los ingredientes y combine bien.

Tomatillos con Ensalada de Pepino

Ingredientes:

10 tomatillos, cortados por la mitad a lo largo, sin semillas y en rodajas finas

1/4 de cebolla blanca, pelada, cortada por la mitad a lo largo y en rodajas finas

1 pepino grande, cortado por la mitad a lo largo y en rodajas finas

Vendaje

¼ taza de aceite de oliva extra virgen

2 salpicaduras de vinagre de vino blanco

Sal gruesa y pimienta negra

Deberes

Combine todos los ingredientes del aderezo.

Mezcle con el resto de los ingredientes y combine bien.

Ensalada De Tomate Ciruela Y Cebolla

Ingredientes:

5 tomates ciruela medianos, cortados por la mitad a lo largo, sin semillas y en rodajas finas
1/4 de cebolla blanca, pelada, cortada por la mitad a lo largo y en rodajas finas
1 pepino grande, cortado por la mitad a lo largo y en rodajas finas

Vendaje

¼ taza de aceite de oliva extra virgen
2 cucharadas. vinagre de sidra de manzana
Sal gruesa y pimienta negra

Deberes

Combine todos los ingredientes del aderezo.

Mezcle con el resto de los ingredientes y combine bien.

Ensalada de calabacín y tomate

Ingredientes:

5 tomates medianos, cortados por la mitad a lo largo, sin semillas y en rodajas finas
1/4 de cebolla blanca, pelada, cortada por la mitad a lo largo y en rodajas finas
1 calabacín grande cortado por la mitad a lo largo, en rodajas finas y escaldado

Vendaje

¼ taza de aceite de oliva extra virgen
2 salpicaduras de vinagre de vino blanco
Sal gruesa y pimienta negra

Deberes

Combine todos los ingredientes del aderezo.

Mezcle con el resto de los ingredientes y combine bien.

Ensalada De Tomate Heirloom

Ingredientes:

3 tomates Heirloom, cortados por la mitad a lo largo, sin semillas y en rodajas finas

1/4 de cebolla blanca, pelada, cortada por la mitad a lo largo y en rodajas finas

1 pepino grande, cortado por la mitad a lo largo y en rodajas finas

Vendaje

¼ taza de aceite de oliva extra virgen

2 salpicaduras de vinagre de vino blanco

Sal gruesa y pimienta negra

Deberes

Combine todos los ingredientes del aderezo.

Mezcle con el resto de los ingredientes y combine bien.

Ensalada De Hongos Enoki

Ingredientes:

15 hongos Enoki, en rodajas finas

1/4 de cebolla blanca, pelada, cortada por la mitad a lo largo y en rodajas finas

1 pepino grande, cortado por la mitad a lo largo y en rodajas finas

Vendaje

¼ taza de aceite de oliva extra virgen

2 cucharadas. vinagre de sidra de manzana

Sal gruesa y pimienta negra

Deberes

Combine todos los ingredientes del aderezo.

Mezcle con el resto de los ingredientes y combine bien.

Ensalada de corazón de alcachofa y tomate ciruela

Ingredientes:

6 corazones de alcachofa (enlatados)

5 tomates ciruela medianos, cortados por la mitad a lo largo, sin semillas y en rodajas finas

1/4 de cebolla blanca, pelada, cortada por la mitad a lo largo y en rodajas finas

1 pepino grande, cortado por la mitad a lo largo y en rodajas finas

Vendaje

¼ taza de aceite de oliva extra virgen

2 salpicaduras de vinagre de vino blanco

Sal gruesa y pimienta negra

Deberes

Combine todos los ingredientes del aderezo.

Mezcle con el resto de los ingredientes y combine bien.

Ensalada de maizitos y tomate ciruela

Ingredientes:

½ taza de maíz tierno enlatado

5 tomates ciruela medianos, cortados por la mitad a lo largo, sin semillas y en rodajas finas

1/4 de cebolla blanca, pelada, cortada por la mitad a lo largo y en rodajas finas

1 calabacín grande cortado por la mitad a lo largo, en rodajas finas y escaldado

Vendaje

¼ taza de aceite de oliva extra virgen

2 salpicaduras de vinagre de vino blanco

Sal gruesa y pimienta negra

Deberes

Combine todos los ingredientes del aderezo.

Mezcle con el resto de los ingredientes y combine bien.

Ensalada Mixta de Verduras y Tomate

Ingredientes:

1 manojo de Meslcun, enjuagado y escurrido

5 tomates medianos, cortados por la mitad a lo largo, sin semillas y en rodajas finas

1/4 de cebolla blanca, pelada, cortada por la mitad a lo largo y en rodajas finas

1 pepino grande, cortado por la mitad a lo largo y en rodajas finas

Vendaje

¼ taza de aceite de oliva extra virgen

2 cucharadas. vinagre de sidra de manzana

Sal gruesa y pimienta negra

Deberes

Combine todos los ingredientes del aderezo.

Mezcle con el resto de los ingredientes y combine bien.

Ensalada de lechuga romana y tomate ciruela

Ingredientes:

1 manojo de lechuga romana, enjuagada y escurrida

5 tomates ciruela medianos, cortados por la mitad a lo largo, sin semillas y en rodajas finas

1/4 de cebolla blanca, pelada, cortada por la mitad a lo largo y en rodajas finas

1 pepino grande, cortado por la mitad a lo largo y en rodajas finas

Vendaje

¼ taza de aceite de oliva extra virgen

2 salpicaduras de vinagre de vino blanco

Sal gruesa y pimienta negra

Deberes

Combine todos los ingredientes del aderezo.

Mezcle con el resto de los ingredientes y combine bien.

Ensalada de Endivias y Hongos Enoki

Ingredientes:

1 manojo de endivias, enjuagadas y escurridas

15 hongos Enoki, en rodajas finas

1/4 de cebolla blanca, pelada, cortada por la mitad a lo largo y en rodajas finas

1 pepino grande, cortado por la mitad a lo largo y en rodajas finas

Vendaje

¼ taza de aceite de oliva extra virgen

2 salpicaduras de vinagre de vino blanco

Sal gruesa y pimienta negra

Deberes

Combine todos los ingredientes del aderezo.

Mezcle con el resto de los ingredientes y combine bien.

Ensalada de Alcachofas y Tomate

Ingredientes:

1 alcachofa, enjuagada y escurrida

5 tomates medianos, cortados por la mitad a lo largo, sin semillas y en rodajas finas

1/4 de cebolla blanca, pelada, cortada por la mitad a lo largo y en rodajas finas

1 calabacín grande cortado por la mitad a lo largo, en rodajas finas y escaldado

Vendaje

¼ taza de aceite de oliva extra virgen

2 salpicaduras de vinagre de vino blanco

Sal gruesa y pimienta negra

Deberes

Combine todos los ingredientes del aderezo.

Mezcle con el resto de los ingredientes y combine bien.

Ensalada De Col Rizada Y Tomate Heirloom

Ingredientes:

1 manojo de col rizada, enjuagada y escurrida

3 tomates Heirloom, cortados por la mitad a lo largo, sin semillas y en rodajas finas

1/4 de cebolla blanca, pelada, cortada por la mitad a lo largo y en rodajas finas

1 pepino grande, cortado por la mitad a lo largo y en rodajas finas

Vendaje

¼ taza de aceite de oliva extra virgen

2 cucharadas. vinagre de sidra de manzana

Sal gruesa y pimienta negra

Deberes

Combine todos los ingredientes del aderezo.

Mezcle con el resto de los ingredientes y combine bien.

Ensalada de espinacas y tomatillo

Ingredientes:

1 manojo de espinacas, enjuagadas y escurridas

10 tomatillos, cortados por la mitad a lo largo, sin semillas y en rodajas finas

1/4 de cebolla blanca, pelada, cortada por la mitad a lo largo y en rodajas finas

1 pepino grande, cortado por la mitad a lo largo y en rodajas finas

Vendaje

¼ taza de aceite de oliva extra virgen

2 salpicaduras de vinagre de vino blanco

Sal gruesa y pimienta negra

Deberes

Combine todos los ingredientes del aderezo.

Mezcle con el resto de los ingredientes y combine bien.

Ensalada De Setas Mesclun Y Enoki

Ingredientes:

1 manojo de Meslcun, enjuagado y escurrido

15 hongos Enoki, en rodajas finas

1/4 de cebolla blanca, pelada, cortada por la mitad a lo largo y en rodajas finas

1 pepino grande, cortado por la mitad a lo largo y en rodajas finas

Vendaje

¼ taza de aceite de oliva extra virgen

2 salpicaduras de vinagre de vino blanco

Sal gruesa y pimienta negra

Deberes

Combine todos los ingredientes del aderezo.

Mezcle con el resto de los ingredientes y combine bien.

Ensalada de lechuga romana y pepino

Ingredientes:

1 manojo de lechuga romana, enjuagada y escurrida

5 tomates ciruela medianos, cortados por la mitad a lo largo, sin semillas y en rodajas finas

1/4 de cebolla blanca, pelada, cortada por la mitad a lo largo y en rodajas finas

1 pepino grande, cortado por la mitad a lo largo y en rodajas finas

Vendaje

¼ taza de aceite de oliva extra virgen

2 cucharadas. vinagre de sidra de manzana

Sal gruesa y pimienta negra

Deberes

Combine todos los ingredientes del aderezo.

Mezcle con el resto de los ingredientes y combine bien.

Ensalada de col rizada, espinaca y calabacín

Ingredientes:

1 manojo de col rizada, enjuagada y escurrida

1 manojo de espinacas, enjuagadas y escurridas

1/4 de cebolla blanca, pelada, cortada por la mitad a lo largo y en rodajas finas

1 calabacín grande cortado por la mitad a lo largo, en rodajas finas y escaldado

Vendaje

¼ taza de aceite de oliva extra virgen

2 salpicaduras de vinagre de vino blanco

Sal gruesa y pimienta negra

Deberes

Combine todos los ingredientes del aderezo.

Mezcle con el resto de los ingredientes y combine bien.

Ensalada de alcachofa, col rizada y champiñones Enoki

Ingredientes:

1 alcachofa, enjuagada y escurrida

1 manojo de col rizada, enjuagada y escurrida

15 hongos Enoki, en rodajas finas

1/4 de cebolla blanca, pelada, cortada por la mitad a lo largo y en rodajas finas

1 pepino grande, cortado por la mitad a lo largo y en rodajas finas

Vendaje

¼ taza de aceite de oliva extra virgen

2 salpicaduras de vinagre de vino blanco

Sal gruesa y pimienta negra

Deberes

Combine todos los ingredientes del aderezo.

Mezcle con el resto de los ingredientes y combine bien.

Ensalada de Escarola y Alcachofa

Ingredientes:

1 manojo de endivias, enjuagadas y escurridas

1 alcachofa, enjuagada y escurrida

1 pepino grande, cortado por la mitad a lo largo y en rodajas finas

Vendaje

¼ taza de aceite de oliva extra virgen

2 salpicaduras de vinagre de vino blanco

Sal gruesa y pimienta negra

Deberes

Combine todos los ingredientes del aderezo.

Mezcle con el resto de los ingredientes y combine bien.

Ensalada de Escarola y Calabacín

Ingredientes:

1 manojo de lechuga romana, enjuagada y escurrida

1 manojo de endivias, enjuagadas y escurridas

1 calabacín grande cortado por la mitad a lo largo, en rodajas finas y escaldado

Vendaje

¼ taza de aceite de oliva extra virgen

2 salpicaduras de vinagre de vino blanco

Sal gruesa y pimienta negra

Deberes

Combine todos los ingredientes del aderezo.

Mezcle con el resto de los ingredientes y combine bien.

Ensalada de lechuga romana y mesclun

Ingredientes:

1 manojo de Meslcun, enjuagado y escurrido

1 manojo de lechuga romana, enjuagada y escurrida

1/4 de cebolla blanca, pelada, cortada por la mitad a lo largo y en rodajas finas

1 pepino grande, cortado por la mitad a lo largo y en rodajas finas

Vendaje

¼ taza de aceite de oliva extra virgen

2 cucharadas. vinagre de sidra de manzana

Sal gruesa y pimienta negra

Deberes

Combine todos los ingredientes del aderezo.

Mezcle con el resto de los ingredientes y combine bien.

Ensalada Mixta de Verde y Tomatillo

Ingredientes:

1 manojo de Meslcun, enjuagado y escurrido

1 manojo de lechuga romana, enjuagada y escurrida

10 tomatillos, cortados por la mitad a lo largo, sin semillas y en rodajas finas

1/4 de cebolla blanca, pelada, cortada por la mitad a lo largo y en rodajas finas

1 calabacín grande cortado por la mitad a lo largo, en rodajas finas y escaldado

Vendaje

¼ taza de aceite de oliva extra virgen

2 salpicaduras de vinagre de vino blanco

Sal gruesa y pimienta negra

Deberes

Combine todos los ingredientes del aderezo.

Mezcle con el resto de los ingredientes y combine bien.

Ensalada de lechuga romana y endivias

Ingredientes:

1 manojo de lechuga romana, enjuagada y escurrida

1 manojo de endivias, enjuagadas y escurridas

5 tomates ciruela medianos, cortados por la mitad a lo largo, sin semillas y en rodajas finas

1/4 de cebolla blanca, pelada, cortada por la mitad a lo largo y en rodajas finas

1 pepino grande, cortado por la mitad a lo largo y en rodajas finas

Vendaje

¼ taza de aceite de oliva extra virgen

2 salpicaduras de vinagre de vino blanco

Sal gruesa y pimienta negra

Deberes

Combine todos los ingredientes del aderezo.

Mezcle con el resto de los ingredientes y combine bien.

Ensalada De Alcachofas Y Col Rizada

Ingredientes:

1 alcachofa, enjuagada y escurrida

1 manojo de col rizada, enjuagada y escurrida

3 tomates Heirloom, cortados por la mitad a lo largo, sin semillas y en rodajas finas

1/4 de cebolla blanca, pelada, cortada por la mitad a lo largo y en rodajas finas

1 pepino grande, cortado por la mitad a lo largo y en rodajas finas

Vendaje

¼ taza de aceite de oliva extra virgen

2 salpicaduras de vinagre de vino blanco

Sal gruesa y pimienta negra

Deberes

Combine todos los ingredientes del aderezo.

Mezcle con el resto de los ingredientes y combine bien.

Ensalada de col rizada y espinacas

Ingredientes:

1 manojo de col rizada, enjuagada y escurrida

1 manojo de espinacas, enjuagadas y escurridas

15 hongos Enoki, en rodajas finas

1/4 de cebolla blanca, pelada, cortada por la mitad a lo largo y en rodajas finas

1 pepino grande, cortado por la mitad a lo largo y en rodajas finas

Vendaje

¼ taza de aceite de oliva extra virgen

2 salpicaduras de vinagre de vino blanco

Sal gruesa y pimienta negra

Deberes

Combine todos los ingredientes del aderezo.

Mezcle con el resto de los ingredientes y combine bien.

Ensalada De Zanahorias Y Tomate Ciruela

Ingredientes:

1 taza de zanahorias tiernas, picadas

5 tomates ciruela medianos, cortados por la mitad a lo largo, sin semillas y en rodajas finas

1/4 de cebolla blanca, pelada, cortada por la mitad a lo largo y en rodajas finas

1 pepino grande, cortado por la mitad a lo largo y en rodajas finas

Vendaje

¼ taza de aceite de oliva extra virgen

2 cucharadas. vinagre de sidra de manzana

Sal gruesa y pimienta negra

Deberes

Combine todos los ingredientes del aderezo.

Mezcle con el resto de los ingredientes y combine bien.

Ensalada De Maíz Y Tomate Ciruela

Ingredientes:

1 taza de maíz tierno (enlatado), escurrido

5 tomates ciruela medianos, cortados por la mitad a lo largo, sin semillas y en rodajas finas

1/4 de cebolla blanca, pelada, cortada por la mitad a lo largo y en rodajas finas

1 calabacín grande cortado por la mitad a lo largo, en rodajas finas y escaldado

Vendaje

¼ taza de aceite de oliva extra virgen

2 salpicaduras de vinagre de vino blanco

Sal gruesa y pimienta negra

Deberes

Combine todos los ingredientes del aderezo.

Mezcle con el resto de los ingredientes y combine bien.

Ensalada mixta de zanahorias verdes y baby

Ingredientes:

1 manojo de Meslcun, enjuagado y escurrido

1 taza de zanahorias tiernas, picadas

1 pepino grande, cortado por la mitad a lo largo y en rodajas finas

Vendaje

¼ taza de aceite de oliva extra virgen

2 salpicaduras de vinagre de vino blanco

Sal gruesa y pimienta negra

Deberes

Combine todos los ingredientes del aderezo.

Mezcle con el resto de los ingredientes y combine bien.

Ensalada de lechuga romana y maíz baby

Ingredientes:

1 manojo de lechuga romana, enjuagada y escurrida

1 taza de maíz tierno (enlatado), escurrido

1 pepino grande, cortado por la mitad a lo largo y en rodajas finas

Vendaje

¼ taza de aceite de oliva extra virgen

2 salpicaduras de vinagre de vino blanco

Sal gruesa y pimienta negra

Deberes

Combine todos los ingredientes del aderezo.

Mezcle con el resto de los ingredientes y combine bien.

Ensalada de maíz baby y endivias

Ingredientes:

1 taza de maíz tierno (enlatado), escurrido

1 manojo de endivias, enjuagadas y escurridas

1/4 de cebolla blanca, pelada, cortada por la mitad a lo largo y en rodajas finas

1 calabacín grande cortado por la mitad a lo largo, en rodajas finas y escaldado

Vendaje

¼ taza de aceite de oliva extra virgen

2 cucharadas. vinagre de sidra de manzana

Sal gruesa y pimienta negra

Deberes

Combine todos los ingredientes del aderezo.

Mezcle con el resto de los ingredientes y combine bien.

Ensalada de Coliflor y Tomatillo

Ingredientes:

9 cogollos de coliflor, blanqueados y escurridos

10 tomatillos, cortados por la mitad a lo largo, sin semillas y en rodajas finas

1/4 de cebolla blanca, pelada, cortada por la mitad a lo largo y en rodajas finas

1 pepino grande, cortado por la mitad a lo largo y en rodajas finas

Vendaje

¼ taza de aceite de oliva extra virgen

2 salpicaduras de vinagre de vino blanco

Sal gruesa y pimienta negra

Deberes

Combine todos los ingredientes del aderezo.

Mezcle con el resto de los ingredientes y combine bien.

Ensalada de brócoli y tomatillo

Ingredientes:

8 floretes de brócoli, blanqueados y escurridos

10 tomatillos, cortados por la mitad a lo largo, sin semillas y en rodajas finas

1/4 de cebolla blanca, pelada, cortada por la mitad a lo largo y en rodajas finas

1 pepino grande, cortado por la mitad a lo largo y en rodajas finas

Vendaje

¼ taza de aceite de oliva extra virgen

2 salpicaduras de vinagre de vino blanco

Sal gruesa y pimienta negra

Deberes

Combine todos los ingredientes del aderezo.

Mezcle con el resto de los ingredientes y combine bien.

Ensalada de espinacas y coliflor

Ingredientes:

1 manojo de espinacas, enjuagadas y escurridas

9 cogollos de coliflor, blanqueados y escurridos

1 calabacín grande cortado por la mitad a lo largo, en rodajas finas y escaldado

Vendaje

¼ taza de aceite de oliva extra virgen

2 salpicaduras de vinagre de vino blanco

Sal gruesa y pimienta negra

Deberes

Combine todos los ingredientes del aderezo.

Mezcle con el resto de los ingredientes y combine bien.

Ensalada de col rizada y brócoli

Ingredientes:

1 manojo de col rizada, enjuagada y escurrida

8 floretes de brócoli, blanqueados y escurridos

1 pepino grande, cortado por la mitad a lo largo y en rodajas finas

Vendaje

¼ taza de aceite de oliva extra virgen

2 salpicaduras de vinagre de vino blanco

Sal gruesa y pimienta negra

Deberes

Combine todos los ingredientes del aderezo.

Mezcle con el resto de los ingredientes y combine bien.

Ensalada de col rizada, espinacas y brócoli

Ingredientes:

1 manojo de col rizada, enjuagada y escurrida

8 floretes de brócoli, blanqueados y escurridos

1 manojo de espinacas, enjuagadas y escurridas

Vendaje

¼ taza de aceite de oliva extra virgen

2 salpicaduras de vinagre de vino blanco

Sal gruesa y pimienta negra

Deberes

Combine todos los ingredientes del aderezo.

Mezcle con el resto de los ingredientes y combine bien.

Ensalada de alcachofa, col rizada y brócoli

Ingredientes:

1 alcachofa, enjuagada y escurrida

1 manojo de col rizada, enjuagada y escurrida

8 floretes de brócoli, blanqueados y escurridos

Vendaje

¼ taza de aceite de oliva extra virgen

2 salpicaduras de vinagre de vino blanco

Sal gruesa y pimienta negra

Deberes

Combine todos los ingredientes del aderezo.

Mezcle con el resto de los ingredientes y combine bien.

Ensalada de maíz baby y endivias

Ingredientes:

1 taza de maíz tierno (enlatado), escurrido

1 manojo de endivias, enjuagadas y escurridas

1 alcachofa, enjuagada y escurrida

Vendaje

¼ taza de aceite de oliva extra virgen

2 cucharadas. vinagre de sidra de manzana

Sal gruesa y pimienta negra

Deberes

Combine todos los ingredientes del aderezo.

Mezcle con el resto de los ingredientes y combine bien.

Ensalada mixta de zanahorias verdes y baby

Ingredientes:

1 manojo de Meslcun, enjuagado y escurrido

1 taza de zanahorias tiernas, picadas

1 manojo de lechuga romana, enjuagada y escurrida

Vendaje

¼ taza de aceite de oliva extra virgen

2 salpicaduras de vinagre de vino blanco

Sal gruesa y pimienta negra

Deberes

Combine todos los ingredientes del aderezo.

Mezcle con el resto de los ingredientes y combine bien.

Ensalada de tomatillo y maíz baby

Ingredientes:

10 tomatillos, cortados por la mitad a lo largo, sin semillas y en rodajas finas

1 taza de maíz tierno (enlatado), escurrido

1 manojo de endivias, enjuagadas y escurridas

1 alcachofa, enjuagada y escurrida

Vendaje

¼ taza de aceite de oliva extra virgen

2 salpicaduras de vinagre de vino blanco

Sal gruesa y pimienta negra

Deberes

Combine todos los ingredientes del aderezo.

Mezcle con el resto de los ingredientes y combine bien.

Ensalada de Enoki y Maíz Baby

Ingredientes:

15 hongos Enoki, en rodajas finas

1 taza de maíz tierno (enlatado), escurrido

1 manojo de endivias, enjuagadas y escurridas

1 alcachofa, enjuagada y escurrida

Vendaje

¼ taza de aceite de oliva extra virgen

2 cucharadas. vinagre de sidra de manzana

Sal gruesa y pimienta negra

Deberes

Combine todos los ingredientes del aderezo.

Mezcle con el resto de los ingredientes y combine bien.

Ensalada Heirloom de tomate, endivias y alcachofas

Ingredientes:

3 tomates Heirloom, cortados por la mitad a lo largo, sin semillas y en rodajas finas

1 manojo de endivias, enjuagadas y escurridas

1 alcachofa, enjuagada y escurrida

1 manojo de col rizada, enjuagada y escurrida

Vendaje

¼ taza de aceite de oliva extra virgen

2 salpicaduras de vinagre de vino blanco

Sal gruesa y pimienta negra

Deberes

Combine todos los ingredientes del aderezo.

Mezcle con el resto de los ingredientes y combine bien.

Ensalada De Tomates Ciruela Kale Y Cebolla

Ingredientes:

1 manojo de col rizada, enjuagada y escurrida

5 tomates ciruela medianos, cortados por la mitad a lo largo, sin semillas y en rodajas finas

1/4 de cebolla blanca, pelada, cortada por la mitad a lo largo y en rodajas finas

1 pepino grande, cortado por la mitad a lo largo y en rodajas finas

Vendaje

¼ taza de aceite de oliva extra virgen

2 salpicaduras de vinagre de vino blanco

Sal gruesa y pimienta negra

Deberes

Combine todos los ingredientes del aderezo.

Mezcle con el resto de los ingredientes y combine bien.

Ensalada De Espinacas, Ciruelas Y Cebolla

Ingredientes:

1 manojo de espinacas, enjuagadas y escurridas

5 tomates ciruela medianos, cortados por la mitad a lo largo, sin semillas y en rodajas finas

1/4 de cebolla blanca, pelada, cortada por la mitad a lo largo y en rodajas finas

1 pepino grande, cortado por la mitad a lo largo y en rodajas finas

Vendaje

¼ taza de aceite de oliva extra virgen

2 salpicaduras de vinagre de vino blanco

Sal gruesa y pimienta negra

Deberes

Combine todos los ingredientes del aderezo.

Mezcle con el resto de los ingredientes y combine bien.

Ensalada de berros y calabacín

Ingredientes:

1 manojo de berros, enjuagados y escurridos

5 tomates ciruela medianos, cortados por la mitad a lo largo, sin semillas y en rodajas finas

1/4 de cebolla blanca, pelada, cortada por la mitad a lo largo y en rodajas finas

1 calabacín grande cortado por la mitad a lo largo, en rodajas finas y escaldado

Vendaje

¼ taza de aceite de oliva extra virgen

2 cucharadas. vinagre de sidra de manzana

Sal gruesa y pimienta negra

Deberes

Combine todos los ingredientes del aderezo.

Mezcle con el resto de los ingredientes y combine bien.

Ensalada De Mangos, Tomates Y Pepino

Ingredientes:

1 taza de mangos en cubos

5 tomates ciruela medianos, cortados por la mitad a lo largo, sin semillas y en rodajas finas

1/4 de cebolla blanca, pelada, cortada por la mitad a lo largo y en rodajas finas

1 pepino grande, cortado por la mitad a lo largo y en rodajas finas

Vendaje

¼ taza de aceite de oliva extra virgen

2 salpicaduras de vinagre de vino blanco

Sal gruesa y pimienta negra

Deberes

Combine todos los ingredientes del aderezo.

Mezcle con el resto de los ingredientes y combine bien.

Ensalada De Duraznos, Tomates Y Cebolla

Ingredientes:

1 taza de duraznos en cubos

5 tomates medianos, cortados por la mitad a lo largo, sin semillas y en rodajas finas

1/4 de cebolla blanca, pelada, cortada por la mitad a lo largo y en rodajas finas

1 pepino grande, cortado por la mitad a lo largo y en rodajas finas

Vendaje

¼ taza de aceite de oliva extra virgen

2 salpicaduras de vinagre de vino blanco

Sal gruesa y pimienta negra

Deberes

Combine todos los ingredientes del aderezo.

Mezcle con el resto de los ingredientes y combine bien.

Tomatillo de Uvas Negras y Cebolla Blanca

Ingredientes:

12 uds. uvas negras

10 tomatillos, cortados por la mitad a lo largo, sin semillas y en rodajas finas

1/4 de cebolla blanca, pelada, cortada por la mitad a lo largo y en rodajas finas

1 pepino grande, cortado por la mitad a lo largo y en rodajas finas

Vendaje

¼ taza de aceite de oliva extra virgen

2 salpicaduras de vinagre de vino blanco

Sal gruesa y pimienta negra

Deberes

Combine todos los ingredientes del aderezo.

Mezcle con el resto de los ingredientes y combine bien.

Ensalada de uvas rojas, tomatillo y calabacín

Ingredientes:

10 uds. uvas rojas

3 tomates Heirloom, cortados por la mitad a lo largo, sin semillas y en rodajas finas

1/4 de cebolla blanca, pelada, cortada por la mitad a lo largo y en rodajas finas

1 calabacín grande cortado por la mitad a lo largo, en rodajas finas y escaldado

Vendaje

¼ taza de aceite de oliva extra virgen

2 salpicaduras de vinagre de vino blanco

Sal gruesa y pimienta negra

Deberes

Combine todos los ingredientes del aderezo.

Mezcle con el resto de los ingredientes y combine bien.

Ensalada de tomate ciruela y col lombarda

Ingredientes:

1/2 repollo rojo mediano, cortado en rodajas finas

5 tomates ciruela medianos, cortados por la mitad a lo largo, sin semillas y en rodajas finas

1/4 de cebolla blanca, pelada, cortada por la mitad a lo largo y en rodajas finas

1 pepino grande, cortado por la mitad a lo largo y en rodajas finas

Vendaje

¼ taza de aceite de oliva extra virgen

2 cucharadas. vinagre de sidra de manzana

Sal gruesa y pimienta negra

Deberes

Combine todos los ingredientes del aderezo.

Mezcle con el resto de los ingredientes y combine bien.

Ensalada de pepino y tomates de ciruela y repollo de Napa

Ingredientes:

1/2 repollo Napa mediano, cortado en rodajas finas

5 tomates ciruela medianos, cortados por la mitad a lo largo, sin semillas y en rodajas finas

1/4 de cebolla blanca, pelada, cortada por la mitad a lo largo y en rodajas finas

1 pepino grande, cortado por la mitad a lo largo y en rodajas finas

Vendaje

¼ taza de aceite de oliva extra virgen

2 cucharadas. vinagre de sidra de manzana

Sal gruesa y pimienta negra

Deberes

Combine todos los ingredientes del aderezo.

Mezcle con el resto de los ingredientes y combine bien.

Ensalada de repollo rojo y napa

Ingredientes:

1/2 repollo rojo mediano, cortado en rodajas finas

1/2 repollo Napa mediano, cortado en rodajas finas

1/4 de cebolla blanca, pelada, cortada por la mitad a lo largo y en rodajas finas

1 calabacín grande cortado por la mitad a lo largo, en rodajas finas y escaldado

Vendaje

¼ taza de aceite de oliva extra virgen

2 salpicaduras de vinagre de vino blanco

Sal gruesa y pimienta negra

Deberes

Combine todos los ingredientes del aderezo.

Mezcle con el resto de los ingredientes y combine bien.

Ensalada de uvas negras y rojas

Ingredientes:

12 uds. uvas negras

10 uds. uvas rojas

1/4 de cebolla blanca, pelada, cortada por la mitad a lo largo y en rodajas finas

1 pepino grande, cortado por la mitad a lo largo y en rodajas finas

Vendaje

¼ taza de aceite de oliva extra virgen

2 salpicaduras de vinagre de vino blanco

Sal gruesa y pimienta negra

Deberes

Combine todos los ingredientes del aderezo.

Mezcle con el resto de los ingredientes y combine bien.

Ensalada De Mangos, Duraznos Y Pepino

Ingredientes:

1 taza de mangos en cubos

1 taza de duraznos en cubos

1/4 de cebolla blanca, pelada, cortada por la mitad a lo largo y en rodajas finas

1 pepino grande, cortado por la mitad a lo largo y en rodajas finas

Vendaje

¼ taza de aceite de oliva extra virgen

2 salpicaduras de vinagre de vino blanco

Sal gruesa y pimienta negra

Deberes

Combine todos los ingredientes del aderezo.

Mezcle con el resto de los ingredientes y combine bien.

Ensalada De Setas Enoki De Berros Y Calabacín

Ingredientes:

1 manojo de berros, enjuagados y escurridos

15 hongos Enoki, en rodajas finas

1/4 de cebolla blanca, pelada, cortada por la mitad a lo largo y en rodajas finas

1 calabacín grande cortado por la mitad a lo largo, en rodajas finas y escaldado

Vendaje

¼ taza de aceite de oliva extra virgen

2 salpicaduras de vinagre de vino blanco

Sal gruesa y pimienta negra

Deberes

Combine todos los ingredientes del aderezo.

Mezcle con el resto de los ingredientes y combine bien.

Ensalada de col rizada, espinaca y pepino

Ingredientes:

1 manojo de col rizada, enjuagada y escurrida

1 manojo de espinacas, enjuagadas y escurridas

1/4 de cebolla blanca, pelada, cortada por la mitad a lo largo y en rodajas finas

1 pepino grande, cortado por la mitad a lo largo y en rodajas finas

Vendaje

¼ taza de aceite de oliva extra virgen

2 cucharadas. vinagre de sidra de manzana

Sal gruesa y pimienta negra

Deberes

Combine todos los ingredientes del aderezo.

Mezcle con el resto de los ingredientes y combine bien.

Ensalada De Kale, Tomate Y Calabacín

Ingredientes:

1 manojo de col rizada, enjuagada y escurrida

5 tomates ciruela medianos, cortados por la mitad a lo largo, sin semillas y en rodajas finas

1/4 de cebolla blanca, pelada, cortada por la mitad a lo largo y en rodajas finas

1 calabacín grande cortado por la mitad a lo largo, en rodajas finas y escaldado

Vendaje

¼ taza de aceite de oliva extra virgen

2 salpicaduras de vinagre de vino blanco

Sal gruesa y pimienta negra

Deberes

Combine todos los ingredientes del aderezo.

Mezcle con el resto de los ingredientes y combine bien.

Ensalada de espinacas, ciruela, tomate y pepino

Ingredientes:

1 manojo de espinacas, enjuagadas y escurridas

5 tomates ciruela medianos, cortados por la mitad a lo largo, sin semillas y en rodajas finas

1/4 de cebolla blanca, pelada, cortada por la mitad a lo largo y en rodajas finas

1 pepino grande, cortado por la mitad a lo largo y en rodajas finas

Vendaje

¼ taza de aceite de oliva extra virgen

2 cucharadas. vinagre de sidra de manzana

Sal gruesa y pimienta negra

Deberes

Combine todos los ingredientes del aderezo.

Mezcle con el resto de los ingredientes y combine bien.

Ensalada de berros con tomatillo y pepino

Ingredientes:

1 manojo de berros, enjuagados y escurridos

10 tomatillos, cortados por la mitad a lo largo, sin semillas y en rodajas finas

1/4 de cebolla blanca, pelada, cortada por la mitad a lo largo y en rodajas finas

1 pepino grande, cortado por la mitad a lo largo y en rodajas finas

Vendaje

¼ taza de aceite de oliva extra virgen

2 salpicaduras de vinagre de vino blanco

Sal gruesa y pimienta negra

Deberes

Combine todos los ingredientes del aderezo.

Mezcle con el resto de los ingredientes y combine bien.

Ensalada de tomates reliquia de mangos y pepino

Ingredientes:

1 taza de mangos en cubos

3 tomates Heirloom, cortados por la mitad a lo largo, sin semillas y en rodajas finas

1/4 de cebolla blanca, pelada, cortada por la mitad a lo largo y en rodajas finas

1 pepino grande, cortado por la mitad a lo largo y en rodajas finas

Vendaje

¼ taza de aceite de oliva extra virgen

2 salpicaduras de vinagre de vino blanco

Sal gruesa y pimienta negra

Deberes

Combine todos los ingredientes del aderezo.

Mezcle con el resto de los ingredientes y combine bien.

Ensalada De Duraznos Y Tomate

Ingredientes:

1 taza de duraznos en cubos

5 tomates medianos, cortados por la mitad a lo largo, sin semillas y en rodajas finas

1/4 de cebolla blanca, pelada, cortada por la mitad a lo largo y en rodajas finas

1 pepino grande, cortado por la mitad a lo largo y en rodajas finas

Vendaje

¼ taza de aceite de oliva extra virgen

2 cucharadas. vinagre de sidra de manzana

Sal gruesa y pimienta negra

Deberes

Combine todos los ingredientes del aderezo.

Mezcle con el resto de los ingredientes y combine bien.

Ensalada de Uvas Negras y Tomate Ciruela

Ingredientes:

12 uds. uvas negras

5 tomates ciruela medianos, cortados por la mitad a lo largo, sin semillas y en rodajas finas

1/4 de cebolla blanca, pelada, cortada por la mitad a lo largo y en rodajas finas

1 pepino grande, cortado por la mitad a lo largo y en rodajas finas

Vendaje

¼ taza de aceite de oliva extra virgen

2 salpicaduras de vinagre de vino blanco

Sal gruesa y pimienta negra

Deberes

Combine todos los ingredientes del aderezo.

Mezcle con el resto de los ingredientes y combine bien.

Ensalada de uvas rojas y calabacín

Ingredientes:

10 uds. uvas rojas

5 tomates ciruela medianos, cortados por la mitad a lo largo, sin semillas y en rodajas finas

1/4 de cebolla blanca, pelada, cortada por la mitad a lo largo y en rodajas finas

1 calabacín grande cortado por la mitad a lo largo, en rodajas finas y escaldado

Vendaje

¼ taza de aceite de oliva extra virgen

2 salpicaduras de vinagre de vino blanco

Sal gruesa y pimienta negra

Deberes

Combine todos los ingredientes del aderezo.

Mezcle con el resto de los ingredientes y combine bien.

Ensalada de Col lombarda y Tomatillo

Ingredientes:

1/2 repollo rojo mediano, cortado en rodajas finas

10 tomatillos, cortados por la mitad a lo largo, sin semillas y en rodajas finas

1/4 de cebolla blanca, pelada, cortada por la mitad a lo largo y en rodajas finas

1 pepino grande, cortado por la mitad a lo largo y en rodajas finas

Vendaje

¼ taza de aceite de oliva extra virgen

2 salpicaduras de vinagre de vino blanco

Sal gruesa y pimienta negra

Deberes

Combine todos los ingredientes del aderezo.

Mezcle con el resto de los ingredientes y combine bien.

Ensalada de pepino y champiñones Enoki de repollo de Napa

Ingredientes:

1/2 repollo Napa mediano, cortado en rodajas finas

15 hongos Enoki, en rodajas finas

1/4 de cebolla blanca, pelada, cortada por la mitad a lo largo y en rodajas finas

1 pepino grande, cortado por la mitad a lo largo y en rodajas finas

Vendaje

¼ taza de aceite de oliva extra virgen

2 cucharadas. vinagre de sidra de manzana

Sal gruesa y pimienta negra

Deberes

Combine todos los ingredientes del aderezo.

Mezcle con el resto de los ingredientes y combine bien.

Ensalada De Piña, Tomate Y Pepino

Ingredientes:

1 taza de trocitos de piña enlatados

5 tomates ciruela medianos, cortados por la mitad a lo largo, sin semillas y en rodajas finas

1/4 de cebolla blanca, pelada, cortada por la mitad a lo largo y en rodajas finas

1 pepino grande, cortado por la mitad a lo largo y en rodajas finas

Vendaje

¼ taza de aceite de oliva extra virgen

2 salpicaduras de vinagre de vino blanco

Sal gruesa y pimienta negra

Deberes

Combine todos los ingredientes del aderezo.

Mezcle con el resto de los ingredientes y combine bien.

Ensalada de Manzanas, Tomates Ciruela y Pepino

Ingredientes:

1 taza de manzanas Fuji en cubos

5 tomates ciruela medianos, cortados por la mitad a lo largo, sin semillas y en rodajas finas

1/4 de cebolla blanca, pelada, cortada por la mitad a lo largo y en rodajas finas

1 pepino grande, cortado por la mitad a lo largo y en rodajas finas

Vendaje

¼ taza de aceite de oliva extra virgen

2 salpicaduras de vinagre de vino blanco

Sal gruesa y pimienta negra

Deberes

Combine todos los ingredientes del aderezo.

Mezcle con el resto de los ingredientes y combine bien.

Ensalada De Cerezas, Tomates Y Cebolla

Ingredientes:

1/4 taza de cerezas

3 tomates Heirloom, cortados por la mitad a lo largo, sin semillas y en rodajas finas

1/4 de cebolla blanca, pelada, cortada por la mitad a lo largo y en rodajas finas

1 calabacín grande cortado por la mitad a lo largo, en rodajas finas y escaldado

Vendaje

¼ taza de aceite de oliva extra virgen

2 salpicaduras de vinagre de vino blanco

Sal gruesa y pimienta negra

Deberes

Combine todos los ingredientes del aderezo.

Mezcle con el resto de los ingredientes y combine bien.

Ensalada De Pepinillos Y Tomate

Ingredientes:

1/2 taza de pepinillos

5 tomates medianos, cortados por la mitad a lo largo, sin semillas y en rodajas finas

1/4 de cebolla blanca, pelada, cortada por la mitad a lo largo y en rodajas finas

1 pepino grande, cortado por la mitad a lo largo y en rodajas finas

Vendaje

¼ taza de aceite de oliva extra virgen

2 salpicaduras de vinagre de vino blanco

Sal gruesa y pimienta negra

Deberes

Combine todos los ingredientes del aderezo.

Mezcle con el resto de los ingredientes y combine bien.

Ensalada de Tomatillo y Maíz

Ingredientes:

10 tomatillos, cortados por la mitad a lo largo, sin semillas y en rodajas finas

1/2 taza de maíz enlatado

1 pepino grande, cortado por la mitad a lo largo y en rodajas finas

Vendaje

¼ taza de aceite de oliva extra virgen

2 cucharadas. vinagre de sidra de manzana

Sal gruesa y pimienta negra

Deberes

Combine todos los ingredientes del aderezo.

Mezcle con el resto de los ingredientes y combine bien.

Ensalada De Alcachofas De Repollo Morado Y Pepino

Ingredientes:

1/2 repollo rojo mediano, cortado en rodajas finas

1 taza de alcachofas enlatadas

1/2 repollo Napa mediano, cortado en rodajas finas

1 pepino grande, cortado por la mitad a lo largo y en rodajas finas

Vendaje

¼ taza de aceite de oliva extra virgen

2 salpicaduras de vinagre de vino blanco

Sal gruesa y pimienta negra

Deberes

Combine todos los ingredientes del aderezo.

Mezcle con el resto de los ingredientes y combine bien.

Ensalada de repollo morado y alcachofa

Ingredientes:

1/2 taza de maíz enlatado

1/2 repollo rojo mediano, cortado en rodajas finas

1 taza de alcachofas enlatadas

1 pepino grande, cortado por la mitad a lo largo y en rodajas finas

Vendaje

¼ taza de aceite de oliva extra virgen

2 salpicaduras de vinagre de vino blanco

Sal gruesa y pimienta negra

Deberes

Combine todos los ingredientes del aderezo.

Mezcle con el resto de los ingredientes y combine bien.

Ensalada De Encurtidos, Uvas Y Maíz

Ingredientes:

1/2 taza de pepinillos

10 uds. uvas rojas

1/2 taza de maíz enlatado

Vendaje

¼ taza de aceite de oliva extra virgen

2 salpicaduras de vinagre de vino blanco

Sal gruesa y pimienta negra

Deberes

Combine todos los ingredientes del aderezo.

Mezcle con el resto de los ingredientes y combine bien.

Ensalada de duraznos, cerezas y uva negra

Ingredientes:

1 taza de duraznos en cubos

1/4 taza de cerezas

12 uds. uvas negras

1/4 de cebolla blanca, pelada, cortada por la mitad a lo largo y en rodajas finas

1 pepino grande, cortado por la mitad a lo largo y en rodajas finas

Vendaje

¼ taza de aceite de oliva extra virgen

2 cucharadas. vinagre de sidra de manzana

Sal gruesa y pimienta negra

Deberes

Combine todos los ingredientes del aderezo.

Mezcle con el resto de los ingredientes y combine bien.

Ensalada De Mangos De Piña Y Manzana

Ingredientes:

1 taza de trocitos de piña enlatados

1 taza de mangos en cubos

1 taza de manzanas Fuji en cubos

1 calabacín grande cortado por la mitad a lo largo, en rodajas finas y escaldado

Vendaje

¼ taza de aceite de oliva extra virgen

2 salpicaduras de vinagre de vino blanco

Sal gruesa y pimienta negra

Deberes

Combine todos los ingredientes del aderezo.

Mezcle con el resto de los ingredientes y combine bien.

Ensalada de col rizada, espinacas y berros

Ingredientes:

1 manojo de col rizada, enjuagada y escurrida

1 manojo de espinacas, enjuagadas y escurridas

1 manojo de berros, enjuagados y escurridos

Vendaje

¼ taza de aceite de oliva extra virgen

2 salpicaduras de vinagre de vino blanco

Sal gruesa y pimienta negra

Deberes

Combine todos los ingredientes del aderezo.

Mezcle con el resto de los ingredientes y combine bien.

Ensalada De Berros, Piña Y Mangos

Ingredientes:

1 manojo de berros, enjuagados y escurridos

1 taza de trocitos de piña enlatados

1 taza de mangos en cubos

Vendaje

¼ taza de aceite de oliva extra virgen

2 cucharadas. vinagre de sidra de manzana

Sal gruesa y pimienta negra

Deberes

Combine todos los ingredientes del aderezo.

Mezcle con el resto de los ingredientes y combine bien.

Ensalada de tomates, manzanas y duraznos

Ingredientes:

5 tomates medianos, cortados por la mitad a lo largo, sin semillas y en rodajas finas

1 taza de manzanas Fuji en cubos

1 taza de duraznos en cubos

1/4 taza de cerezas

Vendaje

¼ taza de aceite de oliva extra virgen

2 salpicaduras de vinagre de vino blanco

Sal gruesa y pimienta negra

Deberes

Combine todos los ingredientes del aderezo.

Mezcle con el resto de los ingredientes y combine bien.

Ensalada De Hongos Enoki, Maíz Y Col Roja

Ingredientes:

15 hongos Enoki, en rodajas finas

1/2 taza de maíz enlatado

1/2 repollo rojo mediano, cortado en rodajas finas

1 taza de alcachofas enlatadas

Vendaje

¼ taza de aceite de oliva extra virgen

2 salpicaduras de vinagre de vino blanco

Sal gruesa y pimienta negra

Deberes

Combine todos los ingredientes del aderezo.

Mezcle con el resto de los ingredientes y combine bien.

Ensalada de tomatillos y manzana

Ingredientes:

10 tomatillos, cortados por la mitad a lo largo, sin semillas y en rodajas finas

1 taza de manzanas Fuji en cubos

1 taza de duraznos en cubos

Vendaje

¼ taza de aceite de oliva extra virgen

2 cucharadas. vinagre de sidra de manzana

Sal gruesa y pimienta negra

Deberes

Combine todos los ingredientes del aderezo.

Mezcle con el resto de los ingredientes y combine bien.

Ensalada De Tomates Encurtidos Y Uva

Ingredientes:

3 tomates Heirloom, cortados por la mitad a lo largo, sin semillas y en rodajas finas

1/2 taza de pepinillos

10 uds. uvas rojas

1/2 taza de maíz enlatado

Vendaje

¼ taza de aceite de oliva extra virgen

2 salpicaduras de vinagre de vino blanco

Sal gruesa y pimienta negra

Deberes

Combine todos los ingredientes del aderezo.

Mezcle con el resto de los ingredientes y combine bien.

Ensalada De Alcachofa De Repollo Y Pepino

Ingredientes:

1/2 repollo rojo mediano, cortado en rodajas finas

1 taza de alcachofas enlatadas

1 pepino grande, cortado por la mitad a lo largo y en rodajas finas

Vendaje

¼ taza de aceite de oliva extra virgen

2 salpicaduras de vinagre de vino blanco

Sal gruesa y pimienta negra

Deberes

Combine todos los ingredientes del aderezo.

Mezcle con el resto de los ingredientes y combine bien.

Ensalada de piña, mango, manzana y pepino

Ingredientes:

1 taza de trocitos de piña enlatados

1 taza de mangos en cubos

1 taza de cubitos de manzanas Fuji

1 pepino grande, cortado por la mitad a lo largo y en rodajas finas

Vendaje

¼ taza de aceite de oliva extra virgen

2 salpicaduras de vinagre de vino blanco

Sal gruesa y pimienta negra

Deberes

Combine todos los ingredientes del aderezo.

Mezcle con el resto de los ingredientes y combine bien.

Ensalada de repollo y pepino con alcachofas

Ingredientes:

1 taza de alcachofas enlatadas

1/2 repollo Napa mediano, cortado en rodajas finas

1 pepino grande, cortado por la mitad a lo largo y en rodajas finas

Vendaje

¼ taza de aceite de oliva extra virgen

2 salpicaduras de vinagre de vino blanco

Sal gruesa y pimienta negra

Deberes

Combine todos los ingredientes del aderezo.

Mezcle con el resto de los ingredientes y combine bien.

Ensalada de tomates, repollo y zanahoria

Ingredientes:

3 tomates Heirloom, cortados por la mitad a lo largo, sin semillas y en rodajas finas

1/2 repollo Napa mediano, cortado en rodajas finas

5 zanahorias baby

Vendaje

¼ taza de aceite de oliva extra virgen

2 salpicaduras de vinagre de vino blanco

Sal gruesa y pimienta negra

Deberes

Combine todos los ingredientes del aderezo.

Mezcle con el resto de los ingredientes y combine bien.

Ensalada de zanahorias y pepino con col de Napa

Ingredientes:

1/2 repollo Napa mediano, cortado en rodajas finas

5 zanahorias baby

1 pepino grande, cortado por la mitad a lo largo y en rodajas finas

Vendaje

¼ taza de aceite de oliva extra virgen

2 cucharadas. vinagre de sidra de manzana

Sal gruesa y pimienta negra

Deberes

Combine todos los ingredientes del aderezo.

Mezcle con el resto de los ingredientes y combine bien.

Ensalada Tomatillos de Espinacas y Berros

Ingredientes:

10 tomatillos, cortados por la mitad a lo largo, sin semillas y en rodajas finas

1 manojo de espinacas, enjuagadas y escurridas

1 manojo de berros, enjuagados y escurridos

Vendaje

¼ taza de aceite de oliva extra virgen

2 salpicaduras de vinagre de vino blanco

Sal gruesa y pimienta negra

Deberes

Combine todos los ingredientes del aderezo.

Mezcle con el resto de los ingredientes y combine bien.

Ensalada de col rizada, piña y pepino

Ingredientes:

1 manojo de col rizada, enjuagada y escurrida

1 taza de trocitos de piña enlatados

1 pepino grande, cortado por la mitad a lo largo y en rodajas finas

Vendaje

¼ taza de aceite de oliva extra virgen

2 cucharadas. vinagre de sidra de manzana

Sal gruesa y pimienta negra

Deberes

Combine todos los ingredientes del aderezo.

Mezcle con el resto de los ingredientes y combine bien.

CPSIA information can be obtained
at www.ICGtesting.com
Printed in the USA
BVHW060226200722
642495BV00009B/613